Dr Franck Senninger

# Les aliments qui entretiennent votre santé



MARABOUT

# Sommaire

# Introduction

*Face au vieillissement, au stress, à la pollution, à toutes les maladies liées au surpoids, face au combat fatal et inégal que se livrent la vie et la mort, la nature « miraculeusement » se range du côté de la première et devient notre alliée pour nous offrir dans notre quotidien le moyen de lutter contre toutes ces agressions.*

Les aliments représentent une partie de ce miracle. Ils nous apportent les « antidotes » dont notre organisme a besoin pour combattre, réparer et souvent guérir. Rien de plus commun en effet que le choux, l'ail, les tomates ou les lentilles pour ne citer que ceux-là, et pourtant, derrière cette banalité apparente, se cachent des trésors de bienfaits.

**LISEZ BIEN CET OUVRAGE**

Il se propose de mieux connaître ces différents nutriments et de comprendre leur mode d'action sur notre organisme.

Avant tout il paraît nécessaire ici de mettre en garde le lecteur contre l'idée qu'il existerait des aliments aux vertus magiques qui éviteraient ou endigueraient à eux seuls toute maladie. De même qu'il ne sert à rien de se parfumer si on ne se lave pas, de même les propriétés curatives d'une nourriture ne s'expriment que dans le cadre d'une alimentation plus globale de qualité où sont évidemment bannis les excès de toutes sortes, le tabac ou encore l'alcool consommés sans modération.

**À SAVOIR**

N'ont été volontairement retenus dans ce livre que les aliments dont les vertus ne présentent aucune contreverse et qui disposent d'éléments actifs leur permettant d'agir dans le but de sauvegarder ou d'améliorer la santé.

Dès lors, et au-delà des idées préconçues, certains comestibles échappent à cette simple définition. Les principaux aliments concernés et sciemment écartés sont répertoriés en fin de première partie.

Souhaitons que le lecteur aura plaisir à se référer au gré de son appétit aux différentes descriptions des aliments et que cet ouvrage aura sa place sur le plan de travail de la cuisine à côté du livre de recettes favori.

F. S.

# Avant-propos

*Pour la meilleure compréhension possible, cet ouvrage est conçu en quatre parties distinctes qui s'articulent entre elles et forment un tout de façon à éviter les redites.*

La première partie développe des monographies concernant les aliments.

La deuxième développe l'aspect plus scientifique du mode d'action des principes actifs contenus dans les aliments, de manière aussi simple et imagée que possible. Un index et une table des matières facilitent encore les renvois aux termes techniques.

La troisième partie ouvre la discussion sur l'alimentation et le rôle des compléments alimentaires.

La dernière fait la synthèse des pathologies et des maladies pour lesquelles l'alimentation représente une aide.

---

**REMARQUE IMPORTANTE**

Il est conseillé de consommer, une fois par jour au moins, l'un des aliments parmi ceux qui bénéficient d'une étoile*.

---

# 1

# Les aliments « santé »

# ABRICOT*

**45 kcal/100g**

*Frais, comme tous les fruits à noyau, l'abricot est un fruit du printemps et surtout de l'été.*

## CARTE D'IDENTITÉ

Acides organiques, Fibres alimentaires (solubles et insolubles), Glucides, Lipides, Protides.

**Substances minérales et oligo-éléments** : Calcium, Chlore, Cuivre, Fer, Magnésium, Manganèse, Molybdène. Nickel, Phosphore, Potassium, Sodium, Soufre, Zinc.

**Vitamines** : C – Bêta-carotène – B1 – B2 – B3 – B5 – B6 – B9 – E.

**Autres substances** : Lutéine, Sorbitol.

## INTÉRÊT NUTRITIONNEL

L'abricot renferme des fibres solubles (pectine) et insolubles qui accélèrent le transit et régulent le passage du cholestérol et du sucre dans le sang. Ce fruit vient juste après la banane pour sa teneur en minéraux. Le Bêta-carotène lui confère sa couleur orangée ainsi que ses propriétés antioxydantes. L'abricot est d'ailleurs placé sur la plus haute marche de la concentration de Bêta-carotène avec la mangue et le melon. La lutéine est un pigment protecteur de la rétine.

Ainsi l'abricot pourra être conseillé dans les cas suivants :

- Adoption d'une contraception orale (vitamines et minéraux) ;
- Alcoolisme (vitamines du groupe B) ;
- Anxiété (vitamine B6 et magnésium) ;
- Constipation (fibres solubles, insolubles et sorbitol) ;
- Crampes (potassium) ;
- Fatigue (vitamine C, magnésium, potassium) ;
- Grossesse ou allaitement (vitamines, et minéraux) ;
- Maintien du taux de glycémie (fibres solubles et vitamine B6) ;
- Maladies de peau (Bêta-carotène) ;
- Prévention des cancers digestifs (fibres, vitamines et minéraux antioxydants) ;
- Prévention des maladies cardio-vasculaire (vitamine B6, C, E, Bêta-carotène, potassium, zinc) ;
- Sportifs (richesse en glucides, vitamine B6, magnésium) ;
- Tabagisme (besoins accrus en Bêta-carotène et en vitamine A) ;
- Troubles de la vision (Bêta-carotène, lutéine) ;
- Vieillissement (vitamines, minéraux et antioxydants).

## CONSOMMATION

Ce fruit se conserve dans la partie basse du réfrigérateur et ne s'épluche pas. Il faut le laver avant de le consommer. Le noyau renferme une amande au goût amer qui n'est comestible qu'à très petites doses car l'un de ses composés a la faculté de se transformer en acide cyanhydrique, c'est-à-dire en cyanure. Attention aussi en cas de diabète à l'abricot sec (voir ci-dessous).

## Abricot sec

**272 kcal/100g**

Les fruits séchés contiennent peu d'eau et par conséquent davantage de matière sèche riche en substances nutritives décrites ci-dessus.

Concernant l'abricot sec, les sucres y sont environ 4 fois plus nombreux de même que les minéraux et les oligo-éléments. Les minéraux (notamment le manganèse) et les vitamines y sont également plus concentrés (4 à 5 fois) à l'exception de la vitamine C qui est presque totalement oxydée par le processus de déshydratation. La vitamine B1 peut aussi disparaître suivant les procédés employés pour sécher le fruit.

### CONSOMMATION

User sans abuser car très calorique.

## AIL*

**138 kcal/100g**

*L'ail se rencontre en toute saison, il se conserve très bien.*

### CARTE D'IDENTITÉ

Cellulose (fibres insolubles), Glucides, Lipides (peu), Protides.

**Substances minérales et oligo-éléments** : Brome, Calcium, Chlore, Cuivre, Fer, Iode, Magnésium, Manganèse, Nickel, Phosphore, Potassium, Sélénium, Sodium, Soufre, Zinc.

**Vitamines** : A - B1 - B2 - B3 ou PP – B6 – B9 – C.

**Autres substances** : Alliine qui se transforme en allicine sous l'action d'une enzyme l'allinase, Ajoène (un composé soufré qui pourrait contribuer à la destruction des cellules cancéreuses), Disulfure de diallyle (un des principes actifs les plus importants de l'ail, ce composé soufré est bien connu comme agent anticancérigène, notamment contre les cancers du poumon, de la peau et du côlon) Flavonoïdes, Phytostérols, Polyphénols, Prostaglandines.

### INTÉRÊT NUTRITIONNEL

Les composés de l'ail possèdent un rôle antioxydant qui destine cet aliment aux personnes atteintes de maladies cardio-vasculaires. Cette indication est renforcée par l'action des précurseurs de prostaglandines qu'il renferme.

L'ail appartient à la classe des organosulfurés. Il contient de l'allicine aux nombreuses propriétés.

En conséquence, l'ail est recommandé dans les situations suivantes :

- Cancer ou antécédents cancéreux personnels ou familiaux notamment digestifs (allicine, ajoène, disulfure de diallyle, antioxydants) ;
- Cholestérol élevés (allicine, vitamine B3) ;
- Hypertension artérielle (allicine, rapport entre potassium et sodium) ;
- Infections en cours ou à répétition (allicine, vitamine C) ;
- Personnes atteintes d'ostéoporose (déminéralisation osseuse) (effet alcalinisant des minéraux) ;
- Personnes atteintes de maladies cardio-vasculaires (allicine, vitamine C, zinc, sélénium, flavonoïdes et polyphénols du fait de leur rôle antioxydant) ;

- Tendance à faire des caillots (effet fluidifiant des composés soufrés) ;
- Triglycérides élevé (allicine, vitamine B3).

### CONSOMMATION

L'ail se consomme sous différentes formes (en gousses, en fragments…) et peut facilement être intégré à l'alimentation.

Conserver à l'abri de la lumière pour l'empêcher de germer ce qui le rendrait indigeste.

## AMANDE*

**10 kcal par unité et 634 kcal/100g**

*L'amande est un fruit oléagineux très proche de la noix. Elle est récoltée un peu avant maturité comme la noisette. On la trouve au printemps, à l'automne, et en hiver.*

### CARTE D'IDENTITÉ

Fibres alimentaires, Glucides, Lipides (acides gras mono-insaturés de la série oméga-9), Protides

**Substances minérales et oligo-éléments** : Potassium, Phosphore, Calcium, Magnésium, Soufre, Sodium, Fer, Cuivre, Zinc.

**Vitamines** : Bêta-carotène (peu) – B1 – B2 – B3 ou PP – B5 – B9 – E.

**Autres substances** : Acides gras de type mono-insaturés (oméga-9).

### INTÉRÊT NUTRITIONNEL

L'intérêt nutritionnel réside dans les composants suivants :

- le magnésium en grande quantité qui agit sur le stress et la spasmophilie ;

- les antioxydants (vitamine E et zinc) ;
- les fibres solubles (pectine) capables de piéger le cholestérol dans les intestins et d'en réduire la quantité dans le sang ;
- les lipides (graisses) sont présents sous la forme d'acides gras de la série oméga-9. Ces acides gras sont dotés de nombreuses propriétés protectrices cardio-vasculaires, peut être anti-inflammatoires et anticancéreuses.

L'amande est donc indiquée dans les :

- Etats de spasmophilie et de stress (magnésium et vitamine B6) ;
- Excès de cholestérol et de triglycérides (fibres solubles) ;
- Maladies cardio-vasculaires (oméga-9, vitamine E, zinc, calcium et magnésium).

### CONSOMMATION

Disponibles sous différentes formes (entière, miettes...), les noisettes sont moins caloriques que les noix car elles sont moins riches en lipides.

## ANANAS*

**51 kcal/100g**

*L'ananas se consomme principalement en hiver et au printemps.*

### CARTE D'IDENTITÉ

Fibres alimentaires (insolubles), Glucides, Lipides, Protides.

**Substances minérales et oligo-éléments** : Potassium, Phosphore, Calcium, Magnésium, Soufre, Sodium, Fer, Cuivre, Zinc, Manganèse, Fluor, Iode.

**Vitamines** : C – Béta-carotène – B1 – B2 – B3 – B5 – B6 – B9 – E.

**Autres substances** : Acides organiques, Broméline, Xanthophylles.

## INTÉRÊT NUTRITIONNEL

L'intérêt de l'ananas réside dans ses fibres insolubles qui facilitent le transit, dans sa richesse en antioxydants (vitamine C, Bêta-carotène, zinc), dans la présence de xanthophylles, dans la diversification de ses minéraux moyennement abondants avec un bon rapport entre potassium et sodium ce qui facilite l'élimination de l'eau, et enfin dans la présence d'une enzyme : la broméline. Cette enzyme est protéolytique c'est à dire qu'elle est capable de couper les protéines en petits morceaux que l'on appelle acides aminés. En quelques sortes elle commence la digestion des protéines (viandes, poisson, laitages…) absorbées au cours du même repas. Les vertus de la broméline ne s'arrêtent pas à faciliter la digestion, elle a des propriétés anti-infectieuses et anti-inflammatoires. Du reste les sportifs l'utilisent en capsules pour diminuer les douleurs musculaires après l'effort. On l'utilise aussi dans certains produits cosmétiques pour lutter contre les œdèmes.

L'ananas est donc préconisé dans les cas suivants :

- Constipation (fibres insolubles) ;
- Crampes musculaires (broméline) ;
- Déminéralisation osseuse (bon rapport entre potassium et sodium) ;
- Douleurs articulaires (broméline, cuivre) ;
- Infections ou récidive d'infection (broméline, vitamine C, cuivre, soufre) ;
- Maladies cardio-vasculaires (vitamine C, Bêta-carotène, xanthophylles, vitamine E, zinc aux propriétés antioxydantes) ;
- Rétention d'eau (rapport favorable entre potassium et sodium) ;
- Troubles digestifs (broméline, fibres).

### CONSOMMATION

Les sucres sont plus abondants sous l'écorce qu'au centre.

L'ananas en boite ou le jus d'ananas pasteurisé sont privés de leur broméline détruite par les procédés de conservation.

Hélas, trois fois hélas, l'ananas ne fait pas maigrir !

## ARTICHAUT*

* 40 kcal/100g

*L'artichaut est un légume du printemps, de l'été et de l'automne.*

### CARTE D'IDENTITÉ

Fibres alimentaires (insolubles), Glucides, Lipides (traces), Protides.

**Substances minérales et oligo-éléments** : Potassium, Phosphore, Calcium, Magnésium, Soufre, Sodium, Chlore, Bore, Fer, Cuivre, Zinc, Manganèse, Iode.

**Vitamines** : C – Bêta-carotène – B1 – B2 – B3 – B5 – B6 – B8 – B9 – E.

**Autre substances** : Cyanarine, Inuline.

### INTÉRÊT NUTRITIONNEL

L'artichaut est riche de pratiquement tous les composés vitaminiques et minéraux sans que l'un d'eux soit particulièrement abondant. L'intérêt nutritionnel réside dans un sucre particulier : l'inuline. Ce sucre est un fructosane qui augmente le taux de certaines bactéries présentes dans l'estomac, facilite la digestion ainsi que la diurèse (élimination de l'eau). Les fibres insolubles facilitent le transit intestinal mais peuvent provoquer conjointement à l'inuline des ballonnements.

L'artichaut sera bénéfique dans les cas suivants :

- Constipation (fibres) ;
- Déminéralisation osseuse (potassium, calcium, phosphore) ;
- Mauvaise digestion (effet prébiotique de l'inuline, fibres, cyanarine) ;
- Rétention d'eau (fructosane).

### CONSOMMATION

Les fibres insolubles associées à l'inuline peuvent provoquer des ballonnements désagréables L'inuline est par ailleurs responsable d'allergies chez certaines personnes prédisposées.

## ASPERGE*

**26 kcal/100g**

*L'asperge est un légume de printemps. L'asperge verte se distingue par une forte teneur en vitamines antioxydantes A et C, ainsi que par son contenu en vitamine B, en acide folique et en flavonoïdes (les anthocyanes qui donnent à cette variété sa couleur violacée dont l'intensité augmente avec la concentration de ce pigment) et la rutine.*

### CARTE D'IDENTITÉ

Fibres (solubles et insolubles), Glucides, Lipides (peu), Protides.

**Substances minérales et oligo-éléments** : Potassium, Phosphore, Calcium, Magnésium, Sodium (peu), Chlore, Bore, Fer, Cuivre, Zinc, Manganèse, Fluor, Iode.

**Vitamines** : C – Bêta-carotène – B1 – B2 – B3 ou PP – B5 –B6 – B8 – B9 – E.

**Autres substances notables** : Acide urique, Acide oxalique , Asparagine, Flavonoïdes de type anthocyanes et citroflavonoïdes, Enzymes de phase 2, Rutine.

## INTÉRÊT NUTRITIONNEL

- Anti-hémorragique (flavonoïdes) ;
- Constipation (fibres) ;
- Déminéralisation osseuse (calcium et rôle alcalinisant des minéraux) ;
- Fatigue (asparagine, vitamine C, fer) ;
- Maladies cardio-vasculaires (effet antioxydant des flavonoïdes, des vitamines C et E, du béta carotène et du zinc) ;
- Nettoie l'organisme de ses toxines et notamment l'alcool (asparagine) ;
- Protection des vaisseaux (rutine) ;
- Rétention d'eau, syndrome prémenstruel (seins et ventre qui gonflent avant les règles) et œdème (grâce au rapport très favorable entre potassium et sodium et grâce à l'asparagine) ;
- Spasmophilie (magnésium, calcium, phosphore) ;
- Troubles de l'humeur (asparagine, magnésium et vitamine B6) ;
- Troubles de la mémoire et de la concentration (asparagine, vitamine B3 et B9).

## CONSOMMATION

Les asperges peuvent être contre-indiquées chez les personnes sujettes aux calculs rénaux, à la goutte du fait de sa richesse en acide urique et oxalique. L'asparagine peut aussi irriter l'arbre urinaire et faciliter les cystites chez les personnes prédisposées.

# AUBERGINE*

29 kcal/100g

*L'aubergine est un légume de l'été.*

## CARTE D'IDENTITÉ

Acides organiques, Fibres alimentaires (surtout solubles), Glucides, Protides.

**Substances minérales et oligo-éléments** : Potassium, Phosphore, Calcium, Magnésium, Soufre, Sodium, Chlore, Fer, Cuivre, Zinc, Manganèse, Nickel, Iode.

**Vitamines** : C – Bêta-carotène – B1 – B2 – B3 ou PP – B5 – B6 – B9 – E.

**Autres substances** : Phytostérols, Tanins.

## INTÉRÊT NUTRITIONNEL

L'intérêt de l'aubergine réside dans ses fibres solubles : la protopectine liées aux parois cellulaires du végétal. Ces fibres solubles semblent agir principalement sur les graisses alimentaires et notamment sur le cholestérol en l'empêchant de passer dans la circulation sanguine. En cuisant ces fibres se solubilisent ce qui donne un doux mœlleux à ce légume.

L'aubergine possède une densité nutritionnelle élevée c'est à dire qu'elle contient beaucoup d'éléments nutritionnels pour peu de calories, particulièrement des vitamines et des minéraux. Parmi ces derniers le potassium est abondant avec un bon rapport avec le sodium ce qui confère à l'aubergine des propriétés diurétiques (contre la rétention d'eau).

Les tanins ont des propriétés antioxydantes utiles dans les maladies cardio-vasculaires.

Ainsi l'aubergine est recommandée dans les cas suivants :

- Constipation (protopectine) ;
- Déminéralisation osseuse (effet alcalinisant des minéraux) ;
- Diabète et maladies métaboliques (protopectine) ;
- Excès de cholestérol et de triglycéride (protopectine, vitamine B3) ;
- Maladies cardio-vasculaires (vitamines C, E, zinc, tanins) ;
- Obésité (faible valeur calorique) ;
- Rétention d'eau (bon rapport entre potassium et sodium).

### CONSOMMATION

L'aubergine appartient à la famille des solanacées (tomate, pomme de terre…) qui contiennent des stéroïdes naturels très légèrement toxiques à forte dose. Cela dit les effets bénéfiques l'emportent largement lors d'une consommation courante.

## AVOCAT

**425 kcal pour un petit avocat**

*L'avocat est un fruit oléagineux de l'automne et de l'hiver.*

### CARTE D'IDENTITÉ

Fibres alimentaires (solubles à maturité et insolubles), Glucides, Lipides, Protides.

**Substances minérales et oligo-éléments** : Potassium, Phosphore, Magnésium, Soufre, Calcium, Sodium, Fer, Cuivre, Zinc, Manganèse ;

**Vitamines** : C – Béta-carotène – B1 – B2 – B3 ou PP – B5 – B6 – B8 – B9 – E.

**Autres substances** : Lipides principalement sous forme d'acides gras mono-insaturés (oméga-9) et poly-insaturés de type oméga-3 et oméga-6. Il existe aussi un peu d'acide palmitique saturé sans intérêt nutritionnel particulier.

## INTÉRÊT NUTRITIONNEL

L'intérêt de l'avocat réside principalement dans sa teneur :

- en acide alpha-linolénique, chef de file des oméga-3 aux propriétés anti-inflammatoires, anticancéreuses, fluidifiantes pour le sang, dilatatrices pour les vaisseaux, anti-allergiques, assouplissantes pour les membranes de nos cellules et enfin restauratrice de l'immunité ;
- en acide linolénique, chef de file des oméga-6 dont les effets bénéfiques se superposent à ceux des oméga-3 et viennent les renforcer sous l'action de ceux-ci ;
- en acide oléique mono-insaturé que l'on retrouve dans l'huile d'olive bien connu pour ses propriétés protectrices vis-à-vis du cœur ;
- en minéraux car ils sont 3 fois plus nombreux dans l'avocat que dans les fruits frais à poids égal. Il s'agit notamment de potassium, de phosphore, de magnésium, de soufre et de cuivre ;
- en vitamine du groupe B (5 à 10 fois supérieur aux taux des fruits frais) notamment B9, B3, B5 ;
- en vitamines antioxydantes comme la vitamine C, la vitamine E et le Bêta-carotène (autant que dans la pêche ou dans la prune) ;
- vitamine E aux effet anti-oxydants, anticancéreux, antiinflammatoires, cicatrisants.

Ainsi, grâce à ces nombreux composants, l'avocat développe ses effets bénéfiques dans les cas suivants :

- Cancer (oméga-3, vitamine E, vitamine C, Bêta-carotène) ;
- Dépression (vitamine B3, vitamine B6, vitamine B9, oméga-3) ;
- Maladies auto-immunes où l'on fait des anticorps contre soi-même (oméga-3, vitamine E) ;
- Maladies cardio-vasculaires (oméga-3, oméga-9, vitamine E, vitamine C, Bêta-carotène, potassium, magnésium) ;
- Maladies métaboliques et excès de cholestérol (oméga-3, oméga-9, vitamine E, vitamine C, vitamine B3 et B5) ;
- Rhumatismes (oméga-3, oméga6, cuivre, vitamine E, vitamine C) ;
- Troubles de cicatrisation ou opération (vitamine E, vitamine B5) ;
- Vieillissement (oméga-3, vitamines C – E – bétacaroténe – et B).

### CONSOMMATION

L'avocat est très calorique et demande à être consommé avec du citron plutôt qu'avec des corps gras (vinaigrette ou mayonnaise). Dans ces conditions il ne se révèle pas plus riche qu'un céleri rémoulade ou que des carottes rapées vinaigrette.

## BANANE

**90 kcal/100g**

*On trouve la banane en toute saison et sa découverte est due à Marco Polo qui la surnomma « fruit de paradis ».*

### CARTE D'IDENTITÉ

Fibres alimentaires (solubles et insolubles), Glucides, Lipides, Protides.

**Substances minérales et oligo-éléments** :

Potassium, Phosphore, Calcium, Magnésium, Sodium, Fer, Cuivre, Zinc, Manganèse.

**Vitamines** : C – Bêta-carotène – B1 – B2 – B3 – B5 – B6 – B8 – B9 – E.

## INTÉRÊT NUTRITIONNEL

En mûrissant et en vieillissant la composition et les propriétés nutritionnelles de la banane évoluent. L'amidon qui est un sucre lent se transforme peu à peu en sucres d'absorption rapide comme le fructose et en substances mucilagineuses qui sont légèrement laxatives. Il convient donc de consommer la banane quand elle est ferme.

L'intérêt de la banane réside dans ses fibres solubles et non solubles, dans ses vitamines du groupe B et notamment B6, dans sa richesse en vitamine C dont le taux est supérieur à bien des fruits continentaux (cette concentration baisse dans le fruit trop mûr), dans le taux en vitamine E surprenant pour un fruit, dans l'abondance de potassium et de magnésium.

La banane est profitable dans les cas suivants :

- Alcoolisme (vitamines du groupe B) ;
- Anxiété (vitamine B6 et magnésium) ;
- Constipation (fibres solubles et insolubles) ;
- Contraception orale (pilule) ;
- Crampes (potassium) ;
- Diarrhées (fibres insolubles à fort pouvoir de rétention d'eau) ;
- Fatigue (vitamine C, magnésium, potassium) ;
- Grossesse et allaitement (vitamines, et minéraux) ;
- Maintien du taux de glycémie (fibres solubles et vitamine B6) ;

- Prévention des accidents cardio-vasculaires (potassium, magnésium, vitamine C) ;
- Prévention des maladies cardio-vasculaire (vitamine B6 et potassium) ;
- Sportifs (richesse en glucides, vitamine B6, magnésium ;
- Vieillissement (vitamines et minéraux).

#### CONSOMMATION

À plus de 20 °C la banane ramollit et mûrit plus vite. En dessous de 12 °C elle noircit et perd son goût.

### Banane séchée

**290 kcal/100g**

Concernant la banane séchée, les sucres, les minéraux et les oligo-éléments, y sont environ 3 fois plus nombreux que dans le fruit frais. Les vitamines et les minéraux y sont également plus concentrés (4 à 5 fois) à l'exception de la vitamine C qui est presque totalement oxydée par le processus de déshydratation. La vitamine B1 peut aussi disparaître suivant les procédés employés pour sécher le fruit. La banane séchée est très riche en cuivre aux propriétés anti-infectieuses et anti-rhumatismales.

#### CONSOMMATION

Ne pas consommer avec excès car très calorique.

## BETTERAVE ROUGE

**40 kcal/100g**

*La betterave rouge se trouve en toute saison. Elle fait partie des légumes racines au même titre que les carottes ou les navets.*

## CARTE D'IDENTITÉ

Fibres alimentaires (surtout insolubles), Glucides, Lipides, Protides.

**Substances minérales et oligo-éléments** : Potassium, Sodium, Phosphore, Calcium, Magnésium, Bore, Fer, Cuivre, Zinc, Manganèse, Nickel, Soufre, Chrome, Sélénium, Fluor.

**Autres substances** : Acide oxalique, Anthocyane, Bétaïne (colorant responsable de la couleur rouge foncée).

## INTÉRÊT NUTRITIONNEL

L'intérêt de la betterave rouge réside dans ses fibres insolubles qui favorisent le transit intestinal, dans sa teneur en potassium qui combat l'acidité sanguine (effet alcallinisant), en vitamine B9, dans les anthocyanes aux propriétés antioxydantes et protectrices pour les veines.

La betterave s'avère salutaire dans les cas suivants :

- Alcoolisme (vitamines du groupe B) ;
- Anémie (vitamine B9, fer) ;
- Constipation (fibres insolubles) ;
- Déminéralisation osseuse (potassium) ;
- Dépression (vitamine B6, B9, C, magnésium) ;
- Lors d'une contraception orale ;
- Personnes souffrant de troubles digestifs (fibres insolubles) ;
- Sportifs (abondance des sucres capables de recharger les stocks de glycogène après l'effort) ;
- Tabagisme (Bêta-carotène, vitamine C, B9, sélénium, zinc) ;
- Troubles de concentration ou de mémoire (vitamine B9) ;
- Troubles de la gencive (gingivite et parodontose) (vitamine B9).

### CONSOMMATION

La betterave rouge se consomme cuite ou râpée. Les jeunes feuilles de ce légume peuvent se consommer en salade.

En revanche sa teneur en sodium et en acide oxalique doit conduire à restreindre sa consommation chez les personnes sujettes à l'hypertension artérielle (sodium) et aux calculs biliaires ou rénaux (acide oxalique).

## BLETTE*

**33 kcal/100g**

*Les blettes ou bettes se trouvent du printemps à l'automne.*

*Il existe plusieurs variétés selon la couleur : blanche, jaune, rouge.*

### CARTE D'IDENTITÉ

Fibres alimentaires (insolubles et solubles), Glucides, Lipides, Protides.

**Substances minérales et oligo-éléments** : Potassium, Calcium, Sodium, Magnésium, Phosphore, Soufre, Chlore, Fer, Zinc, Cuivre, Manganèse, Nickel, Bore, Fluor, Cobalt, Chrome, Iode, Sélénium.

**Vitamines** : C – Bêta-carotène – B1 – B2 – B3 ou PP – B5 – B6 – B9 – E – K.

**Autres substances** : Flavonoïdes (quercétine, apigénine, catéchine…), et selon la couleur, Caroténoïdes (lutéine pour les jaunes), Terpènes, Enzymes de phase 2, Lycopène (pour les rouges), Acide oxalique.

### INTÉRÊT NUTRITIONNEL

Les blettes sont très riches en vitamine B9 contenue dans ses feuilles mais aussi en Bêta-carotène et en vitamine C. Elles sont également bien pourvues en minéraux et oligoéléments (notamment le calcium, le soufre, le phosphore, le fer et le magnésium).

Ainsi les blettes sont utiles dans les cas suivants :

- Alcoolisme (vitamine B9, B1, E) ;Allaitement (vitamine C, calcium, phosphore, magnésium) ;
- Anémie (fer, vitamine B9) ;
- Cancer (flavonoïdes, vitamine C et E, Bêta-carotène zinc, terpènes, enzymes de phase 2) ;
- Constipation (fibres insolubles) ;
- Contexte chirurgical (vitamine C, B5, fer) ;
- Contraception orale (vitamine B9, C, E) ;
- Déminéralisation osseuse (calcium, potassium, phosphore, vitamine K) ;
- Dépression (vitamine B9, B6, magnésium) ;
- Exposition solaire (vitamine E) ;
- Grossesse (fer, vitamine B9, C, magnésium) ;
- Infections à répétition (vitamine C, terpènes, soufre) ;
- Maladies cardio-vasculaires (vitamine C, E, Bêta-carotène, caroténoïdes, zinc, sélénium, flavonoïdes) ;
- Maladies métaboliques (vitamine B3, C, E, Bêta-carotène) ;
- Prévention de la cataracte ou de vue (vitamine C, lutéine) ;
- Prévention du vieillissement (vitamine C, E, zinc, sélénium, flavonoïdes) ;
- Problèmes de fertilité (vitamine C, E, zinc) ;
- Rétention d'eau (rapport potassium sur sodium intéressant) ;
- Rhumatismes (vitamine E, cuivre) ;
- Sportifs (vitamine C, E, magnésium) ;

- Tabagisme (vitamine B9, C, E) ;
- Troubles de concentration ou de mémoire (vitamine B9, B6, B1).

### CONSOMMATION

On consomme les côtes et surtout les feuilles plus riches en micronutriments. Attention aux excès en cas d'acide urique et de calculs rénaux ou biliaires.

## BROCOLI*

**24 kcal/100g**

*Le brocoli est un crucifère (voir ce terme) qui a été créé en Italie au XV^e^ siècle. Catherine de Médicis l'a introduit en France (en même temps que l'artichaut) sous le nom «d'asperge italienne». Brocco signifie en italien «pousse» puis ce mot devint au fil des temps broccolo qui donna au pluriel broccoli, il perdit enfin un C pour donner le brocoli que nous connaissons actuellement.*

*Il s'agit d'un crucifère du printemps et de l'automne.*

### CARTE D'IDENTITÉ

Fibres insolubles en majorité, Glucides, Protéines.

**Substances minérales et oligo-éléments** : Calcium ; Potassium ; Magnésium ; Fer ; Phosphore ;

**Vitamines** : C – Bêta-carotène – B1 – B2 – B3 – B5 – B6 – B9 – E.

**Autres substances** : Flavonoïdes, Glutathion, Indoles, Lutéine, Sulforaphane.

### INTÉRÊT NUTRITIONNEL

La vitamine C (autant que dans le citron), le sulphoraphane présent en plus grande quantité sur les jeunes pousses et les tiges, les indoles, le glutathion, les flavonoïdes, le coenzyme Q10, les caroténoïdes, les fibres destinent les brocolis aux personnes suivantes :

- Grippe, bronchites, rhinopharyngites ;
- Maladies dégénératives comma la maladie de Parkinson ;
- Maladies inflammatoires ;
- Maladies métaboliques (diabète, excès de cholestérol, de triglycérides, obésité) ;
- Personnes ayant des antécédents personnels ou familiaux de cancer digestif, du sein ou de la prostate ;
- Personnes souffrant d'infection à répétition ;
- Personnes souffrant de rhumatismes ;
- Troubles de la vue ;
- Vieillissement.

La vitamine B5 confère à cet aliment des propriétés cicatrisantes et améliore la qualité des ongles et des cheveux (phanères) :

- Améliore le cholestérol sanguin ;
- Chute de cheveux ;
- Problèmes de peau ou de phanères ;
- Troubles de la fertilité.

Les minéraux comme le calcium, joint aux propriétés alcalinisantes (anti-acide), le magnésium, le phosphore, le potassium aident à combattre l'ostéoporose (déminéralisation osseuse) et jouent sur la fonction cardiaque et sur le psychisme.

- Anxiété et nervosité ;
- Personnes atteintes de déminéralisation osseuse ;
- Troubles du rythme cardiaque et de la tension artérielle ;
- Le fer et la vitamine B9 ont un rôle sur les globules rouges ;
- Personnes souffrant d'anémie ou de fatigue.

### CONSOMMATION

Pour garder toutes ses propriétés le brocoli se consomme cru ou cuit à la vapeur.

## CAROTTE*

**38 kcal/100g**

*Les carottes se consomment durant toute l'année.*

### CARTE D'IDENTITÉ

Fibres alimentaires (solubles et insolubles), Glucides, Lipides, Protides.

**Substances minérales et oligo-éléments** : Potassium, phosphore, calcium, magnésium, sodium, chlore, fer, cuivre, zinc, manganèse.

**Vitamines** : C – Bêta-carotène – B1 – B2 – B3 – B5 – B6 – B9 – E.

**Autres substances** : Bixine, Enzymes de phase 2, Lutéine.

### INTÉRÊT NUTRITIONNEL

L'intérêt des carottes réside dans ses fibres solubles et insolubles qui régulent les taux de sucre et de cholestérol sanguins ainsi que le transit et la flore intestinale.

Les carottes sont riches en Bêta-carotène et en vitamines C (antioxydants) ainsi qu'en potassium ce qui leur confère un rôle alcalinisant.

Enfin elles contiennent des enzyme de phase 2 actives sur le cancer.

Ainsi les carottes seront recommandées dans les cas suivants :

- Cancers (antioxydants, bixine, lutéine, enzymes de phase 2, fibres) ;

- Constipation (fibres insolubles) ;
- Déminéralisation osseuse (potassium et autres minéraux) ;
- Diabète, excès de cholestérol, maladies métaboliques, obésité (fibres solubles, vitamine B3, antioxydants) ;
- Grossesses, contraception, tabac (besoins accrus en Bêta-carotène et en vitamine A) ;
- Infections à répétition (effet prébiotique des fibres insolubles qui régulent la flore intestinale) ;
- Maladies cardio-vasculaires (antioxydants) ;
- Maladies de peau comme l'eczéma ou l'acné (Bêta-carotène) ;
- Troubles de la vision (Bêta-carotène, lutéine).

### CONSOMMATION

*Cru* : les carottes gardent toutes leurs vitamines et leur propriétés liées aux fibres insolubles.

*Cuites* : les fibres solubles produisent un mucilage qui favorise le transit. En revanche, les vitamines perdent de leur propriétés à l'exception du Bêta-carotène.

## CASSIS*

**60 kcal/100g**

*Le cassis est une petite baie noire de l'été.*

### CARTE D'IDENTITÉ

Fibres alimentaires (surtout insolubles), Glucides, Lipides (peu), Protides.

**Substances minérales et oligo-éléments** : Potassium, Calcium, Phosphore, Magnésium, Sodium, Bore, Fer, Manganèse, Bore, Cuivre, Nickel, Fluor.

**Vitamines** : C (c'est le fruit métropolitain qui en renferme le plus) – Bêta-carotène – B1 – B2 – B3 ou PP – B5 – B6 – B8 – B9 – E.

**Autres substances** : Acides organiques, Caroténoïdes (lutéine et zéaxanthine), Flavonoïdes (quercétine, anthocyanes, tanins comme la catéchine et l'acide ellagique...).

## INTÉRÊT NUTRITIONNEL

L'intérêt du cassis réside dans

- la présence de flavonoïdes aux propriétés antiinfectieuses, anticancéreuses, anti-cholestérol ;
- sa richesses en caroténoïdes ayant un rôle protecteur sur la rétine ;
- sa teneur exceptionnelle en vitamine C aux propriétés antioxydantes ;
- ses fibres insolubles et solubles (parmi ces dernières le cassis est l'une des meilleures sources en pectine) ayant un rôle sur le transit intestinal, la régulation du sucre et des graisses dans le sang.

Ainsi le cassis sera utile dans les cas suivants :

- Allaitement (vitamine C) ;
- Cancer (fibres, calcium, catéchine, zinc, vitamine C, E, Bêta-carotène, flavonoïdes) ;
- Contexte chirurgical (vitamine C) ;
- Contraception orale (vitamine C) ;
- Déminéralisation osseuse (acides organiques, calcium, phosphore, potassium) ;

- Grossesse (vitamine C, calcium, fer) ;
- Infections à répétition (flavonoïdes, vitamine C) ;
- Maladies cardio-vasculaires (vitamine C, E, bétacaroténe, magnésium, zinc, flavonoïdes) ;
- Maladies métaboliques (vitamine C, E, B3, bétacaroténe, magnésium, zinc, flavonoïdes, fibres solubles) ;
- Personnes âgées (vitamine C, flavonoïdes, calcium) ;
- Prévention de la cataracte et de dégénérescence de la rétine (vitamine C, lutéine, zéaxanthine) ;
- Problèmes de fertilité (vitamine C, E, zinc) ;
- Rhumatismes (flavonoïdes, cuivre) ;
- Sportifs (vitamine C, magnésium) ;
- Tabac (vitamine C) ;
- Troubles veineux et hémorroïdes (flavonoïdes).

### CONSOMMATION

La richesse en micronutriments de cette baie devrait pousser à la consommer davantage.

## CÉLERI*

**44 kcal/100g**

*Le céleri-rave est un légume-racine de l'automne et de l'hiver. Apparu beaucoup tardivement dans la langue française en 1651, céleri dérive du lombard seleri, issu du latin selenon. Ce nom rappelle que la plante aux propriétés supposées aphrodisiaques était censée être sous l'influence de la lune (sélé).*

## CARTE D'IDENTITÉ

Fibres alimentaires (surtout insolubles), Glucides, Lipides, Protides.

**Sels minéraux et oligo-éléments** : Potassium, Sodium, Phosphore, Calcium, Bore, Fer, Zinc, Manganèse, Cuivre, Molybdène, Fluor.

**Vitamines** : C – Bêta-carotène – B1 – B2 – B3 ou PP – B5 – B6 – B8 – B9 – E.

**Autres substances** : Apigénine, Enzymes de phase 2.

## INTÉRÊT NUTRITIONNEL

Le céleri est très riche en potassium mais aussi en sodium. Les oligo-éléments, dont l'assimilation est favorisée par les fibres insolubles, sont très nombreux et en abondance tous utiles pour traiter les pathologies suivantes :

- Arthrite (bore, cuivre) ;
- Arthrose (bore) ;
- Cancer (enzymes de phase 2, apigénine sur les cancers hormono-dépendants comme celui du sein, bore pour celui de la prostate) ;
- Constipation (fibres insolubles) ;
- Déminéralisation osseuse (calcium, phosphore, potassium, bore).

## CONSOMMATION

On le mange cru ou râpé en salade. La présence de sodium doit en limiter la consommation chez les personnes atteintes de maladies cardio-vasculaires ou chez celles qui pâtissent d'une rétention d'eau.

Le céleri perd de son intérêt en rémoulade car la mayonnaise vient en gâter les qualités nutritionnelles.

Un proverbe du sud de la France stipule : « Si femme connaissait la vertu du céleri sur l'homme, elle en planterait de Paris jusqu'à Rome ».

# CERISE*

**77 kcal/100g**

*La cerise est un fruit de l'été originaire d'Asie mineure.*

## CARTE D'IDENTITÉ

Fibres alimentaires (solubles et insolubles), Glucides, Lipides, Protides.

**Substances minérales et oligo-éléments** : Potassium, Phosphore, Calcium, Soufre, Magnésium, Sodium,

Chlore, Fer, Cuivre, Zinc, Manganèse, Nickel, Fluor.

**Vitamines** : C – Bêta-carotène – B1 – B2 – B3 ou PP – B5 – B6 – B9 – E.

**Autres substances** : Acides organiques, Flavonoïdes, (anthocyanes, tanins quercétine, myricétine), Sorbitol.

## INTÉRÊT NUTRITIONNEL

La cerise est le fruit rouge qui contient le plus de sucre. Le rapport entre le potassium et le sodium ainsi que le sorbitol lui confère des propriétés diurétiques (lutte contre la rétention d'eau). Elle contient un grand nombre d'oligoéléments et permet une bonne minéralisation de l'organisme.

Ainsi les cerises sont indiquées dans les cas suivants :

- Adolescents (fer) ;
- Allaitement (vitamine C) ;
- Anémie (fer) ;
- Athérosclérose (vitamine C, Bêta-carotène, lycopène, zinc, flavonoïdes) ;
- Cancer (Calcium, flavonoïdes) ;
- Contexte chirurgical (vitamine C) ;
- Contraception orale (vitamine C) ;
- Contractions involontaires de certains muscles comme ceux de la paupière de l'œil (magnésium, calcium) ;
- Crises de spasmophilie (magnésium, phosphore, calcium) ;
- Déminéralisation osseuse (calcium, phosphore, acides organiques) ;
- Grossesse (vitamine C, magnésium, fer) ;
- Infections (vitamine C, magnésium) ;
- Infections à répétition (vitamine C, flavonoïdes) ;
- Maladies cardio-vasculaires (vitamine C, Bêta-carotène, lycopène, zinc, flavonoïdes, magnésium, calcium) ;
- Maladies métaboliques (vitamine C, Bêta-carotène, lycopène, zinc, fibres solubles, flavonoïdes) ;
- Palpitations cardiaques (magnésium) ;
- Prévention de la cataracte (vitamine C) ;
- Prévention du vieillissement (vitamine C, Bêta-carotène, lycopène, zinc, minéraux) ;
- Problèmes de fertilité (vitamine C, E, Zinc) ;
- Rétention d'eau (rapport entre potassium et sodium, sorbitol) ;
- Rhumatismes (soufre, cuivre) ;

- Sports (vitamine C, magnésium) ;
- Stress, angoisses (magnésium) ;
- Tabagisme (vitamine C) ;
- Troubles digestifs (fibres solubles et insolubles, anthocyanes) ;
- Varices (anthocynanes).

### CONSOMMATION

À consommer sans excès en raison de la forte proportion de sucres.

## CHAMPIGNON

**28 kcal/100g**

*Le champignon se consomme en automne et en hiver.*

### CARTE D'IDENTITÉ

Fibres alimentaires (surtout insolubles), Glucides, Lipides, Protides.

**Substances minérales et oligo-éléments** : Potassium, Phosphore, Magnésium, Calcium, Sodium, Bore, Fer, Cuivre, Zinc, Manganèse, Fluor, Sélénium, Chrome, Nickel, Molybdène.

**Vitamines** : C – Bêta-carotène – B1 – B3 – B5 – B6 – B8 – B9 – E – D – K.

**Autres substances** : Caroténoïdes, Phytostérols.

### INTÉRÊT NUTRITIONNEL

Les champignons se distinguent par leur richesse

- en fibres insolubles, et surtout en vitamines du groupe B, notamment B3, B5, B2 ;

- en potassium ce qui est habituel pour les légumes frais mais surtout en phosphore, en bore et en sélénium ;
- en protéines (même si ces dernières ne remplacent pas celles d'origine animale ni sur le plan quantitatif ni sur le plan qualitatif) ;
- en vitamine D et K.

De ce fait les champignons seront préconisés dans les cas suivants :

- Arthrose ou poussée d'arthrite (cuivre, bore, sélénium, zinc) ;
- Croissance des enfants et des adolescents (protéines, minéraux) ;
- Déminéralisation osseuse (bon rapport entre potassium et sodium, bore, phosphore, calcium, vitamine K, D) ;
- Excès de cholestérol et autres troubles métabolique (vitamine B3, B2, B5, stérols végétaux) ;
- Grossesses (vitamine K et D, calcium) ;
- Maladies cardio-vasculaires (potassium, sélénium, manganèse) ;
- Prévention du cancer en général (sélénium, zinc, vitamine D) et de la prostate en particulier (bore) ;
- Troubles de cicatrisation ou opération (vitamine B5, cuivre, sélénium) ;
- Troubles de la vue (caroténoïdes) ;
- Troubles du transit (fibres insolubles) ;
- Vieillissement (vitamine B2, B3, B5, D, sélénium, bore, manganèse).

## CONSOMMATION

Sauvage, le champignon peut être source d'intoxication à cause des substances toxiques qu'il est susceptible de renfermer. Cultivé, il concentre la pollution des villes et des champs comme des métaux lourds et des produits chimiques. Il faut donc bien choisir la provenance de cet aliment.

## CHOCOLAT

**Chocolat blanc et à croquer : 530 kcal/100g ;**

**Chocolat au lait : 550 kcal/100g**

*De la « nourriture pour les dieux » du savant Linné (XVIII^e siècle) à la simple gourmandise, le chocolat a souvent été paré de vertus médicinales confirmées par les études modernes. Le chocolat au lait est moins intéressant que le noir car le lait diminue l'absorption des substances bénéfiques.*

### CARTE D'IDENTITÉ

Fibres alimentaires, Glucides, Lipides, Protides.

**Substances minérales et oligo-éléments** : Potassium, Phosphore, Magnésium, Calcium, Fer.

**Vitamines** : B1 – B2 – B3 ou PP – B6 – B9 – E.

**Autres substances** : Acides gras mono-insaturés (oméga-9) et acides poly-insaturés, Caféine, Flavonoïdes dont la catéchine, Phényléthylamine, Resvératrol, Théobromine.

### INTÉRÊT NUTRITIONNEL

Le chocolat est une bonne source de magnésium, mais ce sont ses flavonoïdes aux propriétés antioxydantes, fluidifiantes, vasodilatatrices et anti-inflammatoires ainsi que le resvératrol. Le chocolat constitue la seconde source alimentaire de resvératrol après le vin.

La phényléthylamine est un remontant et stimule la fabrication par le cerveau d'endorphines, sorte de morphine propre au corps, ce qui explique que certaines personnes soient « droguées » au chocolat. La théobromine et la caféine facilitent la performance intellectuelle et l'éveil.

Le chocolat est indiqué dans les cas suivants et à petites doses :

- Cancer (catéchine) ;
- Fatigue (fer, théobromine, caféine) ;
- Maladies cardio-vasculaires (flavonoïdes, magnésium, acides gras mono et poly-insaturés, vitamine E) ;
- Spasmophilie (phényléthylamine, magnésium) ;
- Troubles de l'humeur (phényléthylamine).

### CONSOMMATION

Le chocolat noir est moins gras et plus riche en cacao.

Le chocolat au lait a perdu un certain nombre de ses composés par l'adjonction de lait ou de crème.

Le chocolat « light » est moins sucré mais plus gras.

## CHOU*

**28 kcal/100g**

*Le chou est un légume d'hiver. Il appartient à la famille des crucifères (voir ce terme).*

### CARTE D'IDENTITÉ

Fibres alimentaires surtout insolubles, Glucides, Protides.

**Substances minérales et oligo-éléments** : Potassium, Phosphore, Calcium, Magnésium, Soufre, Sodium, Chlore, Fer, Cuivre, Zinc, Manganèse.

**Vitamines** : C – B1 – B2 – B3 ou PP – B5 – B6 – B9 – E – K.

**Autres substances** : Enzymes de phase 2, Goitrine (dérivé soufré responsable du goût particulier du chou), Sulforaphane.

## INTÉRÊT NUTRITIONNEL

Le choux est très riche en vitamine C, en vitamine E et celles du groupe B sont bien représentées. Le choux est l'un des meilleurs aliments qui soit car les enzymes de phase 2 ont un rôle anticancéreux avéré. Par ailleurs il est faiblement calorique et très riche en différents minéraux et vitaminiques.

- Alcoolisme(vitamine E, B6, B9) ;
- Allaitement (vitamine C, B9) ;
- Anémie (vitamine B9, fer) ;
- Anxiété et dépression (vitamine B6, B9, magnésium) ...
- Cancer (vitamine E, sulforaphane) ;
- Contexte chirurgical (vitamine C) ;
- Contraception orale (pilule) (vitamine C, E, B6, B9) ;
- Déminéralisation osseuse (pouvoir alcalinisant du potassium, calcium, phosphore, vitamine K) ;
- Exposition solaire (vitamine E) ;
- Grossesse (vitamine C, B9, K, magnésium, calcium) ;
- Infections à répétition (vitamine C, E, soufre) ;
- Le syndrome prémenstruel (vitamine B6) ;
- Maladies cardio-vasculaires (vitamine C, E, B6, Bêta-carotène, zinc) ;
- Maladies métaboliques, dégénératives et cardio-vasculaires (vitamine C, E) ;
- Prévention de la cataracte (vitamine C) ;
- Prévention du vieillissement (vitamine C, B6, K, zinc, sulforaphane) ;

- Problèmes de fertilité (vitamine C, E) ;
- Rhumatismes (soufre, cuivre) ;
- Sportifs (vitamine C, E, B6) ;
- Tabac (vitamine C, E, B9) ;
- Troubles de concentration ou de mémoire (vitamine B9, magnésium) ;
- Troubles du transit (fibres).

### CONSOMMATION

Le choux contient de la thio-2-oxazolidone, ou goitrine, un dérivé soufré (responsable de la saveur très caractéristique des choux) qui est susceptible, en cas de consommation excessive et régulière de provoquer un goitre. Cuire le choux dans deux eaux différentes pour diminuer cette substance.

## Chou blanc*

Le chou blanc, de teinte plutôt vert-pâle, est également riche en vitamine C.

### CONSOMMATION

On le consommera plutôt cru pour le garder toutes ses propriétés.

## Chou frisé*

Après le chou blanc et le chou rouge, le chou frisé est la troisième variété importante de choux pommés.

#### INTÉRÊT NUTRITIONNEL

Cette sorte de chou est la plus riche en lutéine : un puissant antioxydant. Comme tous les caroténoïdes l'effet de cet antioxydant est majoré par la cuisson alors que les autres antioxydants sont détruits par la chaleur.

#### CONSOMMATION

Il faut le choisir frais et le consommer rapidement. Après avoir ôté la nervure centrale des feuilles, celles-ci sont ensuite roulées et coupées ou laissées entières pour être bouillies dans un peu d'eau salée 3 à 5 minutes.

### Chou rouge*

**36 kcal/100g**

Le chou rouge a une composition très voisine de celle des autres choux mis à part qu'il est plus riche en caroténoïdes.

#### INTÉRÊT NUTRITIONNEL

Le chou rouge renferme davantage de lycopène et de lutéine (appartenants à la famille des caroténoïdes) que les autres choux. Cela lui confère un puissant rôle antioxydant.

#### CONSOMMATION

Cru ou en salade

### Chou vert*

Le chou vert possède un goût un peu amer. On ne le trouve pas en été.

#### INTÉRÊT NUTRITIONNEL

Il est riche en vitamine C et en lutéine, il possède les mêmes caractéristiques que les crucifères en général.

#### CONSOMMATION

Il se consomme cuit (mais perd dans ce cas de ses qualités nutritionnelles) ou cru.

### Chou-fleur*

On rencontre le chou-fleur en toute saison. Ce chou était recommandé dès l'Antiquité lors d'épisodes de diarrhées et de troubles intestinaux. Aujourd'hui son action mieux connue concerne tous les crucifères en général. Notons également la présence de vitamine B9 mais aussi de vitamine B5 utiles sur les cheveux, les ongles et sur la cicatrisation.

#### CONSOMMATION

Cuit ou encore mieux cru (à la croque).

## CHOUCROUTE*

**27 kcal/100g**

*Le chou blanc est découpé en lamelles, puis fermente dans un tonneau durant une vingtaine de jours avec de la saumure et des grains de genièvre. On obtient ainsi la choucroute. Cette cuisson attendrit les fibres et constitue un début de digestion.*

### INTÉRÊT NUTRITIONNEL

Le chou sous forme de choucroute possède donc un pouvoir anticancéreux supérieur à celui de ses autres formes de choux car il est coupé en lamelles et ne subit pas la cuisson qui inhiberait le sulforaphane (voir ce terme).

### CONSOMMATION

La choucroute, du fait même de son mode de fabrication, est riche en sel ce qui la contre-indique dans les régimes sans sel (hypertension artérielle, insuffisance cardiaque...) et oblige à la rincer avant consommation.

La charcuterie et les viandes grasses qui accompagnent la choucroute ne sont pas des modèles d'alimentation « santé ». On préférera des saucisses de volaille par exemple ou bien du poisson.

## CITRON*

**40 kcal/100g**

*Le citron se consomme toute l'année.*

### CARTE D'IDENTITÉ

Fibres alimentaires (insolubles à l'intérieur du fruit et solubles sous l'écorce), Glucides, Lipides (dans les pépins), Protides (peu).

**Substances minérales et oligo-éléments** : Potassium, Calcium, Phosphore, Magnésium, Soufre, Sodium, Fer, Zinc, Cuivre, Manganèse, Nickel.

**Vitamines** : C – Bêta-carotène – B1 – B2 – B3 ou PP – B5 – B6 –B8 – B9 – E.

**Autres substances** : Acides organiques, Flavonoïdes (citroflavonoïdes notamment), Terpènes.

## INTÉRÊT NUTRITIONNEL

Le citron est très riche en vitamine C mais aussi en d'autres composants. Il contient :

- de nombreux antioxydants (principalement la vitamine C, mais aussi E, Zinc, Cuivre, Manganèse et des citroflavonoïdes actif sur la circulation sanguine ;
- des fibres surtout insolubles ;
- les minéraux comme le calcium, le phosphore, le magnésium mais aussi les oligo-éléments.

Ainsi le citron est indiqué dans les cas suivants :

- Allaitement (vitamine C, calcium) ;
- Calculs rénaux (acides organiques) ;
- Cancer (vitamine C, E, zinc, manganèse, cuivre, flavonoïdes, calcium, triterpènes, fibres) ;
- Contexte chirurgical (vitamine C, B1, B5) ;
- Contraception orale (vitamine C, B1, B2, B6, B9, E, magnésium et le zinc) ;
- Crampes (potassium, calcium) ;
- Crises de tétanie ou de spasmophilie (calcium, magnésium, phosphore) ;
- Déminéralisation osseuse (calcium, phosphore, potassium, acides organiques) ;
- Fatigue (potassium) ;
- Grossesse (vitamine C, B1, B9, calcium, fer) ;
- Infections à répétition (vitamine C, B1, magnésium, monoterpènes) ;

- Maladies cardio-vasculaires (vitamine C, E, zinc, manganèse, cuivre, flavonoïdes, potassium) ;
- Maladies métaboliques (vitamine C, E, B1, zinc, manganèse, cuivre, citroflavonoïdes) ;
- Prévention du vieillissement (vitamine C, E, zinc, manganèse, cuivre, flavonoïdes) ;
- Problèmes de fertilité (vitamine C, E, zinc) ;
- Problèmes veineux (ciroflavonoïdes) ;
- Sports (vitamine C, B1, magnésium, potassium) ;
- Stress, angoisses (magnésium) ;
- Tabac (vitamine C, B9) ;
- Vue (vitamine C).

### CONSOMMATION

Le jus de citron est riche en vitamine C très fragile. Il faut donc le consommer immédiatement après l'avoir pressé. Il s'utilise également en zeste dans les pâtisseries notamment. Dans ces conditions, comme pour l'orange, attention aux résidus d'insecticides et autres pesticides, il faut donc bien laver la peau en la brossant si possible !

## CLÉMENTINE*

**40 kcal/100g**

*La clémentine est un agrume d'hiver. Son nom viendrait du nom d'un religieux ayant œuvré en Algérie au début du XXᵉ siècle, le père Clément, qui aurait joué un rôle dans la création de cette variété de tangerine. Les tangerines ellesmêmes viennent du nom d'une espèce de mandarinier originaire du port de Tanger (Maroc).*

## CARTE D'IDENTITÉ

Fibres alimentaires, Glucides, Lipides, Protides.

**Substances minérales et oligo-éléments** : Potassium, Calcium, Phosphore, Magnésium, Chlore, Sodium, Bore, Fer, Cuivre, Zinc, Manganèse, Nickel, Fluor ;

**Vitamines** : C – Bêta-carotène – B1 – B2 – B3 ou PP – B5 – B6 – B9 – E.

**Autres substances** : Acides organiques, Flavonoïdes anthocyaniques, Monoterpènes (dans l'écorce), Xanthophylles.

## INTÉRÊT NUTRITIONNEL

L'intérêt de la clémentine réside dans ses fibres (solubles et insolubles), dans ses composés antioxydants (vitamine C, E, Bêta-carotène, zinc, anthocyanes), dans ses acides organiques qui facilitent l'absorption du calcium, dans ses xanthophylles qui protègent la rétine et dans ses minéraux (calcium, magnésium et fer).

Ainsi les clémentines sont les bienvenues pour combattre les :

- Troubles du transit (fibres insolubles et solubles) ;
- Maladies cardio-vasculaires (antioxydants, potassium et monoterpènes de l'écorce, flavonoïdes) ;
- Maladies métaboliques (fibres) ;
- Infections (vitamine C, magnésium) ;
- Troubles de la vue (xanthophylles, vitamine C) ;
- Déminéralisation osseuse (potassium alcalinisant, calcium) ;
- Anémies (fer, vitamine C) ;
- Cancers digestifs : bouche, pharynx, œsophage, côlon (composés polyphénoliques et monoterpènes) ;
- Protection conter les calculs rénaux.

### CONSOMMATION

La clémentine est un fruit très désaltérant du fait de sa richesse en eau. L'écorce peut être utilisée pour aromatiser des préparations ou du thé, car elle contient des monoterpènes, substances anticancéreuses et cardioprotectrices, à condition, toujours, de bien nettoyer la peau.

## COING

**32 kcal/100g**

*Le coing est un fruit de l'automne.*

### CARTE D'IDENTITÉ

Fibres alimentaires (solubles et insolubles), Glucides, Lipides (très peu), Protides (peu).

**Substances minérales et oligo-éléments** : Potassium, Phosphore, Calcium, Magnésium, Soufre, Sodium, Fer, Cuivre, Zinc, Manganèse, Fluor.

**Vitamines** : C - Bêta-carotène B1 – B2 – B3 – B5 – B6.

**Autres substances** : Acides organiques, nombreux composés aromatiques, Tanins.

### INTÉRÊT NUTRITIONNEL

Les vitamines sont pour la plupart détruites par la cuisson. Le coing est particulièrement intéressant pour ses fibres qui retiennent l'eau et jugulent les diarrhées et les tanins qui leurs sont associés.

Ainsi le coing sera utilisé dans les cas suivants :

- Cancer du côlon (tanins, fibres) ;

- Excès de cholestérol (fibres, tanins, vitamine B3) ;
- Infections intestinales (fibres et tanins) ;
- Maladies cardio-vasculaires (Bêta-carotène, tanins, zinc, Manganèse).

### CONSOMMATION

Les coings se consomment cuits, en compote, en gelée, en confiture ou en pâte. Il faut donc tenir compte de l'ajout de sucre qui altère les qualités nutritionnelles de ce fruit par ailleurs très bénéfique pour la santé.

Naturellement peu sucré, sous forme de fruit frais, il est assez peu calorique. Riche en tanins (70mg/100g) et en fibres (plus de 6g/100g) insolubles et solubles (pectines), il est connu pour son action antidiarrhéique, protectrice de la muqueuse intestinale et antiseptique. D'après des études récentes il diminuerait l'index glycémique, favoriserait la baisse du cholestérol sanguin et jouerait un rôle particulier dans la protection contre le cancer du côlon.

## COLZA*

**900 kcal/100g pour l'huile.**

*Le mot colza provient du néerlandais Kolzaad qui signifie graine de choux. Dès le Moyen-Âge, on presse de l'huile de colza en Europe occidentale. À partir du XVIII^e^ siècle, sa culture s'étend à la Scandinavie, à l'Allemagne et au nord de la France. À cette époque, tout est bon dans le colza : ses graines oléagineuses servent à produire l'huile, sa plante est utilisée comme engrais dans les champs de blé et sa paille fournit une bonne litière aux animaux.*

*En France, à la fin du XIX^e^ siècle, le colza cède pourtant la place à l'arachide. On ne recommence à en consommer qu'après la Seconde Guerre mondiale.*

## CARTE D'IDENTITÉ

Acides gras saturés (peu), Acides gras mono-insaturés oméga-9, Acides gras poly-insaturés de la série oméga-6 et surtout de la série oméga-3, Flavonoïdes, Lipides, Vitamine E.

## INTÉRÊT NUTRITIONNEL

L'utilisation d'huile de colza riche en acides gras poly-insaturés de la série oméga-3 (ou de margarine de colza), peut réduire de 70% les victimes des maladies coronariennes. Des propriétés des oméga-3 (voir ce terme) découlent les indications.

Cette huile s'adresse donc aux personnes :

- allergiques ;
- atteintes d'anorexie ;
- atteintes de maladie auto-immune (thyroïdite, lupus...) ;
- ayant des antécédents familiaux ou personnels de cancer ;
- ayant des maladies métaboliques (diabète, cholestérol, triglycérides, surpoids) ;
- ayant des troubles de la concentration ou de la mémoire ;
- ayant des troubles de la vue ;
- souffrant d'inflammations comme les rhumatismes ;
- souffrant de maladies cardio-vasculaires grâce aux fameux oméga-3 qui fluidifient le sang et dilatent les vaisseaux ;
- souffrant de maladies de peau, les oméga-3 fluidifient également les membranes des cellules qui forment le revêtement cutané.

# CONCOMBRE*

**13 kcal/100g**

*Le concombre est un légume du printemps et de l'été.*

## CARTE D'IDENTITÉ

Fibres alimentaires (solubles et insolubles), Glucides, Lipides (très peu), Protides (peu).

**Substances minérales et oligo-éléments** : Potassium, Phosphore, Magnésium, Calcium, Soufre, Sodium, Chlore, Fer, Cuivre, Zinc, Manganèse, Nickel, Fluor.

**Vitamines** : C – Bêta-carotène, - B1 – B2 – B3 ou PP – B5 – B6 – E.

**Autres substances** : Cucurbitacines.

## INTÉRÊT NUTRITIONNEL

Le concombre est l'un des légumes les plus riches en eau. Il est riche en minéraux avec un rapport très favorable entre le potassium et le sodium d'où ses propriétés diurétiques (contre la rétention d'eau). Sans être particulièrement riche en un micronutriment particulier, il offre une bonne diversité qui permet une alimentation équilibrée. Il est particulièrement indiqué dans les cas suivants :

- Cancer (cucurbitacines) ;
- Contraception orale (minéraux et vitamines) ;
- Déminéralisation osseuse (potassium ayant un effet alcalinisant) ;
- Maladies cardio-vasculaires (vitamine C, zinc, potassium, curcubitacines) ;
- Rétention d'eau (rapport favorable entre potassium et sodium) ;
- Rhumatismes (cucurbitacines, cuivre, soufre) ;

- Troubles digestifs (fibres solubles) ;
- Troubles métaboliques (fibres solubles qui diminuent les taux de cholestérol et de sucres dans le sang et faible valeur calorique, cucurbitacines, soufre) ;
- Vieillissement (cucurbitacines, antioxydants).

### CONSOMMATION

Parfois difficile à digérer le concombre demande à être mastiquer de manière à broyer ses fibres insolubles. On peut aussi le faire dégorger mais attention au sel… Rincer abondamment.

## CORNICHON

**13 kcal/100g**

*Le cornichon n'est qu'un concombre cueillit avant maturité, dégorgé avec du sel durant 24 heures puis trempé dans du vinaigre.*

### CARTE D'IDENTITÉ

Fibres alimentaires (solubles et insolubles), Glucides, Lipides (très peu), Protides (peu).

**Substances minérales et oligo-éléments** : Potassium, Phosphore, Magnésium, Calcium, Soufre, Sodium, Chlore, Fer, Cuivre, Zinc, Manganèse, Nickel, Fluor.

**Vitamines** : C – Bêta-carotène – B1 – B2 – B3 ou PP – B5 – B6 – E.

**Autres substances** : Cucurbitacines.

### INTÉRÊT NUTRITIONNEL

Le cornichon est plus pauvre en diverses vitamines que son grand frère le concombre. Il est cependant plus riche en fer, en Bêta-carotène et en chlorophylle que lui. Le cornichon est utile :

- Cancer (cucurbitacines) ;
- Déminéralisation osseuse (potassium ayant un effet alcalinisant, chlorophylle) ;
- Lors d'une contraception orale (pilule) (minéraux et vitamines) ;
- Personnes souffrant de troubles digestifs (fibres solubles, chlorophylle) ;
- Rétention d'eau (rapport favorable entre potassium et sodium) ;
- Rhumatismes (cucurbitacines, cuivre, soufre) ;
- Troubles métaboliques (fibres solubles qui diminuent les taux de cholestérol et de sucres dans le sang et faible valeur calorique, cucurbitacines, soufre) ;
- Vieillissement (cucurbitacines, antioxydants).

### CONSOMMATION

Le cornichon permet d'agrémenter des plats mais sa teneur en sel le disqualifie pour les régimes des personnes atteintes de maladies cardio-vasculaires ou de rétention d'eau.

## COURGE*

**30 kcal/100g**

*La courge est un cucurbitacé de l'été et de l'automne.*

*Il existe certaines variété d'hiver moins intéressantes sur le plan nutritionnel.*

### CARTE D'IDENTITÉ

Fibres alimentaires (solubles et insolubles), Glucides, Lipides, Protides.

**Substances minérales et oligo-éléments** : Potassium, Phosphore, Magnésium, Calcium, Sodium, Fer, Cuivre, Zinc, Chrome, Manganèse, Molybdène, Iode.

**Vitamines** : C – Bêta-carotène, - B1 – B2 – B3 ou PP – B5 – B6 – B9 - E.

**Autres substances** : Caroténoïdes pour les variétés colorées, Cucurbitacines.

### INTÉRÊT NUTRITIONNEL

La courge fait partie de la famille du potiron, de la citrouille, du concombre et du melon. Elle est riche en minéraux avec un rapport très favorable entre le potassium et le sodium d'où des propriétés diurétiques (contre la rétention d'eau). Le Bêta-carotène y est abondant comme dans le melon. Enfin les cucurbitacines commun à cette famille ont des propriétés anticancéreuses et anti-inflammatoires.

À consommer principalement dans les ituations suivantes :

- Alcoolisme (vitamines du groupe B) ;
- Allaitement (vitamine B9) ;
- Anémie (vitamine B9) ;
- Cancer (cucurbitacines) ;
- Déminéralisation osseuse (potassium ayant un effet alcalinisant) ;
- Dépression (vitamine B9, B6, magnésium) ;
- Les femmes qui envisagent d'être enceintes à court terme (vitamine B9) ;

- Lors d'une contraception orale (pilule) (minéraux et vitamines) ;
- Maladies cardio-vasculaires (vitamine C, zinc, potassium, curcubitacines) ;
- Rétention d'eau (rapport favorable entre potassium et sodium) ;
- Rhumatismes (cucurbitacines, cuivre, soufre) ;
- Tabagisme (antioxydants) ;
- Troubles de concentration ou de mémoire (vitamine B9, B6, Magnésium) ;
- Troubles de la vue (caroténoïdes) ;
- Troubles digestifs (fibres solubles) ;
- Troubles métaboliques (fibres solubles qui diminuent les taux de cholestérol et de sucres dans le sang et faible valeur calorique, cucurbitacines, chrome) ;
- Vieillissement (cucurbitacines, antioxydants).

### CONSOMMATION

La courge renferme des sucres qui passent rapidement dans le sang aussi la consommation doit-elle être modérée chez les personnes diabétiques.

## COURGETTE*

**30 kcal/100 g**

*La courgette est un légume du printemps et de l'été.*

### CARTE D'IDENTITÉ

Fibres alimentaires (surtout solubles), Glucides, Lipides, Protides.

**Substances minérales et oligo-éléments** : Potassium, Phosphore, Magnésium, Calcium, Sodium, Fer, Cuivre, Zinc, Manganèse, Molybdène, Iode.

**Vitamines** : C – Bêta-carotène – B1 – B2 – B3 ou PP – B5 – B6 – B9 – E.

**Autres substances** : Cucurbitacines.

## INTÉRÊT NUTRITIONNEL

La courgette est un légume-fruit de la famille de la courge, du potiron et de la citrouille mais qui est consommée avant maturité. De ce fait ses fibres sont en majorité solubles (pectines et protopectines) ce qui confère à cet aliment son mœlleux lorsqu'il est chauffé. La courgette est riche en minéraux avec un rapport très favorable entre le potassium et le sodium d'où des propriétés diurétiques (contre la rétention d'eau). La vitamine B9 est plus abondante dans la courgette que dans la plupart des légumes frais. Enfin les cucurbitacines communs à cette famille ont des propriétés anticancéreuses et anti-inflammatoires.

La consommation de courgettes est conseillée dans les situations suivantes :

- Alcoolisme (vitamines du groupe B) ;
- Allaitement (vitamine B9) ;
- Anémie (vitamine B9) ;
- Cancer (cucurbitacines) ;
- Contraception orale (pilule) (minéraux et vitamines) ;
- Déminéralisation osseuse (potassium ayant un effet alcalinisant) ;
- Dépression (vitamine B9, B6, magnésium) ;
- Grossesse (vitamine B9) ;

- Maladies cardio-vasculaires (vitamine C, zinc, potassium, curcubitacines) ;
- Rétention d'eau (rapport favorable entre potassium et sodium) ;
- Rhumatismes (cucurbitacines, cuivre) ;
- Tabagisme (antioxydants) ;
- Troubles de concentration ou de mémoire (vitamine B9, B6, Magnésium) ;
- Troubles de la gencive (gingivite et parodontose) (vitamine C, B9) ;
- Troubles digestifs (fibres solubles) ;
- Troubles métaboliques (fibres solubles qui diminuent les taux de cholestérol et de sucres dans le sang et faible valeur calorique, cucurbitacines) ;
- Vieillissement (cucurbitacines, antioxydants).

### CONSOMMATION

Les courgettes se consomment jeunes (avec le temps elles deviennent plus fibreuses) et avec leur peau. On peut enlever des lamelles de peau ce qui donne un aspect esthétique à la préparation culinaire. En soupe, son mœlleux remplace avantageusement la pomme de terre ou la crème.

## CRABE

**85 kcal/100g**

*La composition ci-dessous s'applique au crabe frais.*

### CARTE D'IDENTITÉ

Glucides, Lipides, Protides.

**Substances minérales et oligo-éléments** : Phosphore, Potassium, Calcium, Sodium, Magnésium, Fer, Sélénium, Iode.

**Vitamines** : A – B3 ou PP – B6 – B12 – D – E – K.

**Autres substances** : Acides gras oméga-3 de type EPA et DHA.

## INTÉRÊT NUTRITIONNEL

Assez riche en vitamine E, et en vitamine B3 et B12, l'intérêt du crabe réside dans sa richesse en sélénium (un antioxydant puissant) et en acides gras de la famille oméga- 3, protecteur pour le cœur et les membranes cellulaires. Enfin à un moindre degré le crabe apporte du zinc, du magnésium et de l'iode participant en cela aux grandes fonctions de la vie. La vitamine D disparaît à la cuisson.

Ainsi le crabe est indiqué dans les cas suivants :

- Adolescence (fer) ;
- Alcoolisme(vitamine B12) ;
- Allaitement (vitamine B12, B9, C, fer) ;
- Allergies (oméga-3) ;
- Anémie (fer, vitamine C, B6, B9, B12) ;
- Cancers (Vitamine C, sélénium, zinc, oméga-3) ;
- Crises de spasmophilie (ou de tétanie) (magnésium, calcium, phosphore, vitamine B6, B3) ;
- Grossesse (fer, oméga-3, vitamine B12) ;
- Infections à répétition (sélénium, magnésium) ;
- Maladies auto-immunes (anticorps contre soi-même) (oméga-3) ;
- Maladies cardio-vasculaires en général (sélénium, zinc, manganèse, oméga-3, vitamine C, E, B3) ;
- Maladies métaboliques en général ;

- Diabète, cholestérol, triglycérides, obésité (Vitamine B3, C, oméga-3) ;
- Myoclonies (contractions involontaires de certains muscles comme ceux de la paupière de l'œil) (magnésium) ;
- Palpitations cardiaques (magnésium, calcium) ;
- Prévention du vieillissement (oméga-3, zinc, sélénium, vitamine C) ;
- Prévention du vieillissement (vitamine C, B12, oméga-3, sélénium) ;
- Rhumatismes (vitamine C, oméga-3) ;
- Stress, angoisses (vitamine B3, B6, magnésium) ;
- Suites d'opération chirurgicale (Sélénium, vitamine B5, zinc) ;
- Troubles gastro-intestinaux (vitamine B12) ;
- Troubles mineurs du fonctionnement de la thyroïde lorsqu'il est nécessaire de la stimuler (iode).

### CONSOMMATION

L'araignée de mer est plus savoureuse encore. Éviter la mayonnaise dont les qualités nutritionnelles ne sont pas à la hauteur de l'aliment qu'elle accompagne.

## CRESSON*

**20 kcal/100g**

*Le cresson est cultivé pour ses feuilles. Crucifère, cousin du chou et du navet, il en a les mêmes propriétés et s'adresse aux mêmes personnes. Comme son cousin le choux vert, on ne le trouve pas en été.*

### CARTE D'IDENTITÉ

Fibres (solubles et insolubles), Glucides, Protéines.

**Substances minérales et oligo-éléments** : Potassium ; Calcium ; Magnésium ; Fer ; Chlore ; Cuivre, Iode ; Phosphore ; Sodium ; Zinc.

**Vitamines** : A (richesse) – B1 – B2 – B3 ou PP – B5 – B6 – C (grande richesse).

**Autres substances** : Caroténoïdes actifs (provitamines A), Coenzyme Q10, Flavonoïdes, Indoles, Lutéine, Sulforaphanes, Terpènes.

## INTÉRÊT NUTRITIONNEL

Comme les crucifères le cresson est alcalinisant c'est à dire qu'il combat l'acidité sanguine responsable d'une déminéralisation osseuse.

Il est utile de consommer du cresson dans les cas suivants :

- Alcoolisme (vitamine E, B6, B9) ;
- Allaitement (vitamine C, B9) ;
- Anémie (vitamine B9, fer) ;
- Anxiété, dépression (vitamine B6, B9, magnésium) ;
- Cancer (vitamine E, sulforaphane) ;
- Contexte chirurgical (vitamine C) ;
- Contraception orale (vitamine C, E, B6, B9) ;
- Déminéralisation osseuse (pouvoir alcalinisant du potassium, calcium, phosphore) ;
- Exposition solaire (vitamine E) ;
- Grossesse (vitamine C, B9, K, magnésium, calcium) ;
- Infections à répétition (vitamine C, E, soufre) ;
- Maladies cardio-vasculaires (vitamine C, E, B6, Bêta-carotène, zinc, coenzyme Q10) ;
- Maladies métaboliques, dégénératives et cardio-vasculaires (vitamine C, E, coenzyme Q10) ;

- Prévention de la cataracte (vitamine C) ;
- Prévention du vieillissement (vitamine C, B6, K, zinc, sulforaphane) ;
- Problèmes de fertilité (vitamine C, E) ;
- Rhumatismes (soufre, cuivre) ;
- Sports (vitamine C, E, B6) ;
- Syndrome prémenstruel (douleurs avant les règles) (vitamine B6) ;
- Tabagisme (vitamine C, E, B9) ;
- Troubles de concentration ou de mémoire (vitamine B9, magnésium) ;
- Troubles de la vue (lutéine) ;
- Troubles du transit (fibres).

### CONSOMMATION

Son goût poivré s'accentue avec la croissance de la plante. Il se consomme de préférence cru, en salade ou en légume d'accompagnement afin de préserver la teneur vitaminique. On peut aussi le cuisiner en potage. Attention à la douve qui est un parasite dangereux pour l'homme, ne prendre que le cresson dont l'origine est certaine.

## CREVETTE

**98 kcal/100g**

*La crevette appartient à la famille des crustacées.*

### CARTE D'IDENTITÉ

Glucides, Lipides, Protides.

**Substances minérales et oligo-éléments** : Phosphore, Potassium, Sodium, Calcium, Magnésium, Sélénium, Fer, Zinc Cuivre, Manganèse, Iode.

**Vitamines** : A – B3 ou PP – B6 – B9 – B12 – C – D – E – K.

**Autres substances** : Acides gras oméga-3 (DHA et EPA), Acide gras mono-insaturé oméga-9, Cholestérol.

## INTÉRÊT NUTRITIONNEL

L'intérêt de la crevette réside dans sa richesse en sélénium (antioxydant puissant) et en acides gras de la familles oméga-3, protecteur pour le cœur et les membranes cellulaires. Les crevettes sont également riches en fer, en vitamine B3, en vitamine B12 absente du monde végétal. Enfin à un moindre degré les crevettes apportent du zinc, du magnésium et de l'iode participant en cela aux grandes fonctions de la vie. La vitamine D disparaît à la cuisson.

Ainsi les crevettes sont indiquées dans les cas suivants :

- Adolescence (fer) ;
- Alcoolisme(vitamine B12) ;
- Allaitement (vitamine B12, B9, C, fer) ;
- Allergies (oméga-3) ;
- Anémie (fer, vitamine C, B6, B9, B12) ;
- Cancer (Vitamine C, sélénium, zinc, oméga-3) ;
- Crises de spasmophilie (ou de tétanie) (magnésium, calcium, phosphore, vitamine B6, B3) ;
- Grossesse (fer, oméga-3, vitamine B12) ;
- Infections à répétition (sélénium, magnésium) ;
- Maladies auto-immunes (anticorps contre soi-même) (oméga-3) ;

- Maladies cardio-vasculaires en général (sélénium, zinc, manganèse, oméga-3, vitamine C, E, B3) ;
- Maladies métaboliques en général diabète, cholestérol, triglycérides, obésité (Vitamine B3, C, oméga-3) ;
- Myoclonies (contractions involontaires de certains muscles comme ceux de la paupière de l'œil) (magnésium) ;
- Palpitations cardiaques (magnésium, calcium) ;
- Prévention du vieillissement (oméga-3, zinc, sélénium, vitamine C).
- Rhumatismes (vitamine C, oméga-3) ;
- Stress, angoisses (vitamine B3, B6, magnésium) ;
- Suites d'opération chirurgicale (Sélénium, vitamine B5, zinc) ;
- Troubles gastro-intestinaux (vitamine B12) ;
- Troubles mineurs du fonctionnement de la thyroïde lorsqu'il est nécessaire de la stimuler (iode).

## CONSOMMATION

Attention aux personnes allergiques car la crevette est fortement allergisante. Attention aussi en cas de goutte car les crustacés sont riches en purines cause de cette maladie. Préférer les crevettes fraîches à celles en conserves, ces dernières étant fortement salées ce qui peut être préjudiciable en cas d'hypertension artérielle. Le cholestérol se trouve principalement dans la tête et dans le corail qu'il est bon d'ôter avant consommation en cas d'excès de cholestérol dans le sang.

# LES CRUCIFÈRES*

*Les crucifères (brocoli, chou de Bruxelles, chou vert, chou frisé, chou chinois, chou-fleur, chou rouge et blanc, chou romanesco, chou-rave, radis, radis noir, navet, rutabaga, raifort, cresson, colza et moutarde pour les plus connus) détiennent la palme d'or de tous les aliments « santé ».*

Voici la liste de ce dont ils sont capables, jugez plutôt :

- Le calcium apporté par leur consommation est deux fois mieux absorbé par l'intestin que celui des laitages (environ 60% pour les premiers et 30 % pour les seconds).
- Une panoplie d'antioxydants aux effets antivieillissement et protecteurs cardio-vasculaires (cœur et vaisseaux). Les crucifères sont particulièrement riches en vitamine C, en vitamine E, en Bêta-carotène et en coenzyme Q10. Les antioxydants sont particulièrement recommandées aux personnes souffrant de troubles métaboliques (diabète, hypercholestéro-lémie, obésité), en cas de maladies cardio-vasculaires et en cas de maladies inflammatoires (colite, infections...)
- Rôle anticancéreux sur le tube digestif grâce aux fibres alimentaires. Ces fibres luttent également contre la constipation.
- Rôle anticancéreux sur la prostate grâce aux phytonutriments indoles (indole-3-carbinol et indolylméthane) qui semblent modifier le devenir des œstrogènes dans l'organisme (intérêt sur le sein et la prostate).
- Les crucifères renferment un composé favorisant le « nettoyage » du patrimoine génétique (ADN) encrassé ou altéré par les attaques de radicaux libres). Ce composé véritable « nettoyeur » s'appelle le sulforaphane, par son action, il a un rôle démontré dans la prévention anticancéreuse.
- Rôle amaigrissant du fait de leur faible valeur calorique.

## CURCUMA*

**0 kcal**

*Le curcuma est une épice indienne, de la même famille que le gingembre, aux vertus bénéfiques pour la santé. Il renferme des cucurminoïdes (voir ce terme en deuxième partie d'ouvrage).*

Ainsi les curcurminoïdes sont utiles dans les cas suivants :

- Anorexie ;
- Brûlures de l'estomac ;
- Cancer (côlon, estomac, peau, sein, prostate, poumon, leucémie) ;
- Maladies cardio-vasculaires ;
- Maladies métaboliques ;
- Radiothérapie digestive ;
- Rhumatismes ;
- Troubles de la vésicule biliaire ;
- Troubles digestifs.

## CURRY*

**0 kcal**

*Le curry est un mélange d'épices d'origine indienne dans la composition desquelles rentre le curcuma (voir ce terme).*

## DATTE

**118 kcal/100g**

*La datte est un fruit de l'hiver*

### CARTE D'IDENTITÉ

Fibres alimentaires (surtout insolubles), Glucides, Lipides (peu), Protides.

**Substances minérales et oligo-éléments** : Potassium, Phosphore, Calcium, Fer.

**Vitamines** : C – B1 – B2 – B3 ou PP – B9.

**Autres substances** : Sorbitol.

### INTÉRÊT NUTRITIONNEL

La datte apporte des glucides, des fibres et aussi de la vitamine B3.

Elle est utile dans les situations suivantes :

- Anémie (vitamine C, B9, Fer) ;
- Constipation (fibres) ;
- Excès de cholestérol (vitamine B3) ;
- Sport (glucides).

### CONSOMMATION

Se conservent mal. Les dattes séchées ont un intérêt supérieur.

## Date séchée

**306 kcal/100g**

*Se consomme toute l'année. Les micronutriments existe dans la forme fraîche mais sont plus concentrés dans la variété séchée.*

### CARTE D'IDENTITÉ

Fibres alimentaires, Glucides, Lipides (peu), Protides.

**Substances minérales et oligo-éléments** : Potassium, Phosphore, Calcium, Magnésium, Sodium, Fer, Cuivre, Zinc, Manganèse, Iode.

**Vitamines** : C – Béta-carotène – B1 – B2 – B3 ou PP – B5 – B6 – B9.

**Autres substances** : Sorbitol

### INTÉRÊT NUTRITIONNEL

Les dattes sèches renferment des fibres insolubles. Ce fruit est l'un des plus riches en potassium. La vitamine C n'existe plus dans la forme sèche et le Bêta-carotène est très réduit.

Ainsi la datte sèche pourra être conseillée dans les cas suivants :

- Alcoolisme (vitamines du groupe B) ;
- Anxiété (vitamine B6 et magnésium) ;
- Constipation (fibres insolubles et sorbitol) ;
- Contraception orale (vitamines) ;
- Crampes (potassium) ;
- Fatigue (magnésium, potassium) ;
- Grossesse ou allaitement (vitamines, et minéraux) ;
- Prévention des accidents cardio-vasculaires (potassium, mangnésium) ;
- Prévention des cancers digestifs (fibres, minéraux antioxydants)
- Prévention des maladies cardio-vasculaire (vitamine B6, potassium, zinc) ;
- Sports (richesse en glucides, vitamine B6, magnésium ;
- Vieillissement (vitamines, minéraux et antioxydants).

## EAU*

**0 kcal**

Difficile d'aborder les aliments « santé » sans parler de l'eau, source de vie plus encore que les aliments que nous consommons.

L'homme ne l'oublions pas est constitué de 60 à 70% d'eau !

On distingue plusieurs type d'eau :

- Les eaux oligo-minérales possèdent à la fois une très faible minéralisation et un oligo-élément spécifique les caractérisent. Ces eaux sont utilisées pour les biberons, pour les régimes sans sel et pour enlever les toxines de l'organisme :

  Charrier, la moins minéralisée de France est riche en cuivre ; Volvic (102 mg/l) est riche en silice et en vanadium.

- Les eaux faiblement minéralisées souvent oligo-minérales ont une teneur en sels minéraux inférieure à 500mg/l généralement du type de bicarbonate de calcium. Elles éliminent également les toxines de l'organisme.

  Aix les bains, Évian, Luchon, Perrier, Thonon.

- Les eaux minérales bicarbonatées dont la teneur en bicarbonates est supérieure à 600 mg/l et la minéralisation totale est élevée notamment en magnésium. Elles sont faciles à reconnaître car elles sont toutes gazeuses. À quelques exceptions ces eaux ont une teneur en sodium supérieure à 200 mg/l. Elles conviennent pour les troubles digestifs, hépatiques et des voies biliaires. En raison de la forte teneur en sodium, elles sont déconseillées en cas de régime sans sel, ainsi qu'aux sujets hypertendus.

  Arvie, Badoit, Chateldon, Quézac, Vernière, St Yorre, Vichy Célestins, Arcens, Chateauneuf Auvergne, Hydroxydase (seule eau vendue en pharmacie).

- Les eaux minérales sulfatées calciques, pauvres en sodium et dont la teneur en sulfates est supérieure à 200 mg/l. Elles possèdent des propriétés diurétiques et facilitent les digestions difficiles.

  Contrexéville, Hépar, Talians, riches en magnésium et en sels totaux, Vittel, St Amand ;

  San Pellegrino, la plus célèbre des eaux minérales italiennes est sulfatée, calcique, magnésienne et gazeuse.

  Les eaux minérales chlorurée, leur teneur en chlorures est supérieure à 200 mg/l. Cette qualification s'applique à des eaux déjà définies comme bicarbonatées sodiques. Leur teneur en sels totaux est très élevée.

Hydoxydase, Arvie, Vichy St Yorre, Vichy Célestins.

- Les eaux minérales sulfurées sont caractérisées par leur richesse en soufre et prescrites en cure seulement. Le soufre joue un rôle important dans les processus de digestion et d'élimination des toxines.
- Les eaux minérales gazeuses sont également appelées carbogazeuses en raison de la présence de gaz carbonique. À part Perrier qui est bicarbonatée calcique (avec du calcium), toutes les autres eaux gazeuses sont du type bicarbonatée sodique (avec du sodium plus connu sous le nom de sel). Le gaz et l'eau sont généralement captés séparément puis rajoutés. Les eaux gazeuses représentent le 1/5 des eaux minérales commerciales.
- Les eaux de source sont naturellement potables, d'origine souterraine, microbiologiquement saine et protégée contre les risques de pollution. L'eau de source se distingue de l'eau minérale naturelle par le fait qu'elle n'a pas d'obligation d'avoir une composition minérale constante et caractéristique et qu'elle ne peut prétendre avoir des effets bénéfiques pour la santé.

Chantereine, Cristaline, Chambon, Montcalm, Nestlé Aquarel, Fontaine Jolival, Nutrinor...

## ÉCHALOTE*

**75 kcal/100g**

*L'échalote se trouve toute l'année. Elle est la cousine de l'ail et de l'oignon.*

### CARTE D'IDENTITÉ

Fibres alimentaires (solubles et insolubles), Glucides, Lipides, Protides.

**Substances minérales et oligo-éléments** : Potassium, Phosphore, Calcium, Magnésium, Sodium, Fer, Cuivre, Zinc, Manganèse.

**Vitamines** : C – Bêta-carotène (dans la variété à chair plus rosée) – B1 – B2 – B3 ou PP – B6 – B9 – E.

**Autres substances** : Allicine, Flavonoïdes, Fructosane.

## INTÉRÊT NUTRITIONNEL

L'échalote renferme l'allicine, le fructosane, les fibres insolubles et solubles, la vitamine C et B, les minéraux relativement abondants et des oligo-éléments comme le magnésium, le fer, le zinc.

Ainsi l'échalote est bénéfique dans les cas suivants :

- Antécédents de caillots sanguins (allicine) ;
- Cancer (allicine, flavonoïdes, vitamine C, Bêta-carotène, zinc, fibres) ;
- Constipation (fibres insolubles et fibres solubles qui en chauffant donnent un mucilage facilitant le transit) ;
- Déminéralisation osseuse (effet alcalinisant des minéraux) ;
- Excès de cholestérol et de triglycérides dans le sang (allicine, vitamine B3) ;
- Infections bactériennes, virale et champignons (allicine, vitamine C) ;
- Maladies cardio-vasculaires (allicine, fructosane, vitamine C, Bêta-carotène, zinc, potassium) ;
- Rétention d'eau (fructosane et rapport entre potassium et sodium).

## CONSOMMATION

On agrémente les plats avec l'échalote.

# ENDIVE

**20 kcal/100g**

*L'endive est un légume de l'automne et de l'hiver.*

## CARTE D'IDENTITÉ

Fibres alimentaires (surtout insolubles), Glucides, Lipides (peu), Protides.

**Substances minérales et oligo-éléments** : Potassium, Calcium, Soufre, Phosphore, Magnésium, Chlore, Sodium, Fer, Cuivre, Zinc, Manganèse, Sélénium.

**Vitamines** : C – béta-catotène (très peu) – B1 – B2 – B3 ou PP – B5 – B6 – B9 – E.

**Autres substances** : Cyanarine qui donne l'amertume.

## INTÉRÊT NUTRITIONNEL

L'endive renferme des fibres insolubles, du sélénium aux propriétés antioxydantes, ainsi que de la vitamine B9.

L'endive intéresse les personnes concernées par les situations suivantes :

- Anémie (fer et vitamine B9) ;
- Déminéralisation osseuse (phosphore, calcium, potassium) ;
- Rétention d'eau (bon rapport entre potassium et sodium) ;
- Troubles digestifs (cyanarine) ;
- Troubles du transit (fibres) ;
- Vieillissement (minéraux et antioxydants).

## CONSOMMATION

La cuisson diminue la concentration de vitamines, de protides et de glucides, de potassium, de calcium et de phosphore. En revanche, le magnésium, le fer et les fibres ne sont pas altérés par celle-ci.

# ÉPINARD*

**25 kcal/100g**

*Les épinards sont des légumes du printemps, de l'automne et de l'hiver.*

## CARTE D'IDENTITÉ

Fibres alimentaires (surtout insolubles), Glucides, Lipides, Protides.

**Substances minérales et oligo-éléments** : Potassium, Calcium, Sodium, Magnésium, Phosphore, Chlore, Fer, Zinc, Cuivre, Manganèse, Nickel, Bore, Fluor, Cobalt, Chrome, Iode, Sélénium.

**Vitamines** : C – Bêta-carotène – B1 – B2 – B3 ou PP – B5 – B6 – B9 – E – K.

**Autres substances** : Acide oxalique, Acide urique, Caroténoïdes (lutéine, zéaxanthine), Coenzyme Q10, Enzymes de phase 2, Flavonoïdes (quercétine, apigénine, catéchine…), Terpènes.

## INTÉRÊT NUTRITIONNEL

Les épinards sont très riches en vitamine B9 contenue dans ses feuilles (d'où le nom d'acide folique qui veut dire feuille) mais aussi en Bêta-carotène et en vitamine C. Il sont également bien pourvus en différents minéraux et oligoéléments (notamment le calcium, le sodium, le fer, le magnésium et le chrome). Les antioxydants et anticancéreux fourmillent (quercétine, apigénine, enzymes de phase 2, terpènes, vitamines C, E, Bêta-carotène, manganèse, zinc, sélénium, fibres insolubles à l'effet prébiotiques).

Ainsi la consommation d'épinards est efficace dans les cas suivants :

- Alcoolisme(vitamine B9, B1, E) ;
- Allaitement (vitamine C, calcium, phosphore, magnésium) ;
- Anémie (fer, vitamine B9) ;

- Cancer (flavonoïdes, vitamine C et E, Bêta-carotène zinc, terpènes, enzymes de phase 2) ;
- Constipation (fibres insolubles) ;
- Contexte chirurgical (vitamine C, B5, fer) ;
- Contraception orale (vitamine B9, C, E) ;
- Déminéralisation osseuse (calcium, potassium, phosphore, Vitamine K) ;
- Dépression (vitamine B9, B6, magnésium) ;
- Exposition solaire (vitamine E) ;
- Grossesses (fer, vitamine B9, C, magnésium) ;
- Infections à répétition (vitamine C, terpènes) ;
- Maladies cardio-vasculaires (vitamine C, E, Bêta-carotène, caroténoïdes, zinc, sélénium, flavonoïdes) ;
- Maladies métaboliques (vitamine B3, C, E, Bêta-carotène) ;
- Prévention de la cataracte (vitamine C) ;
- Prévention du vieillissement (vitamine C, E, zinc, sélénium, flavonoïdes) ;
- Problèmes de fertilité (vitamine C, E, zinc) ;
- Rhumatismes (vitamine E, cuivre) ;
- Sports (vitamine C, E, magnésium) ;
- Tabagisme (vitamine B9, C, E) ;
- Troubles de concentration ou de mémoire (vitamine B9, B6, B1).

## CONSOMMATION

Les épinards contiennent de l'acide oxalique et de l'acide urique ce qui limitent leur consommation en cas de calculs rénaux ou biliaires et en cas d'excès d'acide urique ou de goutte.

Leur concentration en nitrates impose de les consommer frais et de bien les laver.

## FENOUIL

**20 kcal/100g**

*Le fenouil est un légume-feuille de l'été et de l'automne.*

### CARTE D'IDENTITÉ

Fibres alimentaires (solubles et insolubles), Glucides, Lipides, Protides.

**Substances minérales et oligo-éléments** : Potassium, Calcium, Phosphore, Magnésium, Sodium, Fer, Cuivre, Zinc.

**Vitamines** : C – béta-catotène – B1 – B2 – B3 ou PP – B5 – B6 – B9 – E.

**Autres substances** : Acides gras poly-insaturés oméga-3, Caroténoïdes.

### INTÉRÊT NUTRITIONNEL

Le fenouil possède une densité en micronutriments extraordinaires car il est l'un des plus riches en vitamine C, en Bêta-carotène, en vitamines B9 et E. Sa teneur en fer est importante. Ses fibres solubles et insolubles facilitent le transit, la flore intestinale et le maintien des taux de sucre et de cholestérol sanguin.

Ainsi le fenouil s'adresse aux personnes placées dans les situations suivantes :

- Constipation (fibres insolubles et solubles) ;
- Troubles du transit (fibres) ;

- Anémie (fer et vitamine B9) ;
- Excès de cholestérol ou de sucre (fibres solubles, vitamine B3, B5, oméga-3) ;
- Troubles métaboliques (vitamine C, E, Bêta-carotène, zinc, vitamine B3, B5, oméga-3) ;
- Maladies cardio-vasculaires (vitamine C, E, Bêta-carotène, zinc, oméga-3) ;
- Rétention d'eau (bon rapport entre potassium et sodium) ;
- Déminéralisation osseuse (phosphore, calcium, potassium) ;
- Vieillissement (minéraux et antioxydants).

### CONSOMMATION

La cuisson diminue la concentration de vitamines, de protides et de glucides, de potassium, de calcium et de phosphore. En revanche les caroténoïdes, le magnésium, le fer et les fibres ne sont pas altérés par la cuisson. L'idéal est une cuisson douce à la vapeur.

## FÈVE

**117 kcal/100g**

*La fève est la graine d'une légumineuse de printemps.*

### CARTE D'IDENTITÉ

Fibres alimentaires (un peu solubles mais surtout insolubles), Glucides, Lipides (peu), Protides (presque autant que le petit pois).

**Substances minérales et oligo-éléments** : Potassium, Calcium, Soufre, Phosphore, Magnésium, Chlore, Sodium, Fer, Cuivre.

**Vitamines** : C – béta-catotène (peu) – B1 – B2 – B3 – B5 – ou PP – B6 - E.

**Autres substances** : Acides gras oméga-6, oméga-3 et oméga-9.

## INTÉRÊT NUTRITIONNEL

La fève renferme des protéines, des acides gras insaturés, fibres solubles et insolubles ayant un effet bénéfique sur le transit, sur la flore intestinale et sur les taux de sucre et de cholestérol sanguin.

Ainsi les fèves seront utiles pour les personnes concernées par les situations suivantes :

- Constipation (fibres insolubles et solubles) ;
- Déminéralisation osseuse (phosphore, calcium, potassium) ;
- Excès de cholestérol ou de sucre (fibres solubles, vitamine B3, oméga-3 et oméga-9) ;
- Maladies cardio-vasculaires (vitamine C, E, zinc, oméga-3 et oméga-9) ;
- Troubles du transit (fibres) ;
- Troubles métaboliques (vitamine C, B3, E, zinc) ;
- Vieillissement (minéraux et antioxydants).

## CONSOMMATION

Les premières fèves apparaissent en mars, elles sont de petite taille et se consomment crues en salade ou à l'apéritif.

Celles qui sortent plus tardivement sont plus grosses et se consomment cuites après avoir ôté la capsule en l'incisant et en pressant pour faire sortir la fève.

Dans de très rares cas d'anomalie du métabolisme (manque de 6-phosphate déshydrogénase) la fève est à proscire (pour cause de favisme).

## FIGUE*

**80 kcal/100g**

*La figue fraîche est un fruit de l'été.*

### CARTE D'IDENTITÉ

Fibres alimentaires (insolubles et solubles, protides (peu), Glucides, Lipides (très peu).

**Substances minérales et oligo-éléments** : Potassium, Calcium, Phosphore, Magnésium, Sodium, Chlore, Fer, Bore, Cuivre, Zinc, Manganèse, Fluor, Iode, Sélénium.

**Vitamines** : C – Bêta-carotène – B1 – B2 – B3 ou PP – B5 – B6 – B9.

**Autres substances** : Acides organiques et Acide oxalique, Flavonoïdes (anthocyanes).

### INTÉRÊT NUTRITIONNEL

L'intérêt nutritionnel de la figue réside dans ses minéraux et le taux de calcium est encore supérieur à celui de l'orange. Les anthocyanes ont un rôle intéressant sur les veines, et la prévention du vieillissement.

Ainsi la figue est utile dans les cas suivants :

- Allaitement (vitamine C) ;
- Anémie (fer, vitamine B9) ;
- Cancer (vitamine C, Bêta-carotène, calcium pour le côlon) ;

- Contexte chirurgical (vitamine C, B5) ;
- Contraception orale (vitamine C) ;
- Crises de tétanie ou de spasmophilie (calcium, magnésium) ;
- Déminéralisation (calcium, phosphore, acides organiques, potassium) ;
- Diarrhées (anthocyanes, fibres solubles) ;
- Excès de cholestérol et de triglycérides (flavonoïdes de type anthocyanes) ;
- Grossesse (vitamine C, B9) ;
- Infections à répétition (vitamine C, anthocyanes) ;
- Maladies cardio-vasculaires (potassium, calcium, magnésium, vitamine C, Bêta-carotène, flavonoïdes, zinc) ;
- Maladies métaboliques (vitamine C, B3, Bêta-carotène, flavonoïdes de type anthocyane, zinc) ;
- Prévention de la cataracte (vitamine C) ;
- Prévention du vieillissement (vitamine C, E, Bêta-carotène, flavonoïdes et anthocyanes) ;
- Sports (vitamine C, magnésium, glucides) ;
- Tabac (vitamine C, anthocyanes) ;
- Troubles veineux (anthocyane) ;
- Troubles veineux (anthocyanes).

## CONSOMMATION

La figue est un fruit qui apporte beaucoup de micronutriments dont les personnes atteintes de diverticulose colique (petites excroissances inflammatoires dans le gros intestin) ne doivent pas abuser en raison des petits grains qui peuvent irriter leurs intestins.

Attention aussi en cas de calculs rénaux en raison de l'acide oxalique.

### Figue Sèche

**270 kcal/100g**

*Les figues sèches du fait de leur déshydratation se trouvent toute l'année. Leur composition est proche de celle de la figue fraîche mais en plus concentrée.*

#### INTÉRÊT NUTRITIONNEL

Les figues sèches sont très utiles pour les sportifs en prévision ou en récupération de l'effort car elles contiennent beaucoup de glucides très énergétiques et immédiatement disponibles.

## FLAGEOLET

*Voir haricot blanc.*

## FRAISE*

**36 kcal/100g**

*La fraise est un fruit rouge de printemps.*

#### CARTE D'IDENTITÉ

Fibres alimentaires (solubles et insolubles), Glucides, Lipides, Protides.

**Substances minérales et oligo-éléments** : Potassium, Phosphore, Calcium, Soufre, Magnésium, Sodium, Chlore, Bore, Cuivre, Zinc, Manganèse, Fluor, Sélénium.

**Vitamines** : C – Bêta-carotène – B1 – B2 – B3 ou PP – B5 – B6 – B8 – B9 – E.

**Autres substances** : Acides organiques, Flavonoïdes, (anthocyanes, coumarines, tanins), Lycopène.

## INTÉRÊT NUTRITIONNEL

La fraise est très riche en vitamine C et en flavonoïdes qui favorisent l'absorption de cette dernière. Elle contient du lycopène qui est un antioxydant très puissant et qui lui donne sa couleur rouge. Les coumarines, la teneur en magnésium, en calcium et en fer sont également très intéressants. En outre les fibres solubles et insolubles favorisent un bon transit intestinal ainsi qu'une réduction des taux de sucres et de graisse dans le sang.

Ainsi les fraises sont indiquées dans les cas suivants :

- Adolescents (fer) ;
- Allaitement (vitamine C) ;
- Anémie (fer) ;
- Athérosclérose (vitamine C, Bêta-carotène, lycopène, zinc, coumarines, flavonoïdes) ;
- Cancer (calcium, flavonoïdes) ;
- Contexte chirurgical (vitamine C) ;
- Contraception orale (vitamine C) ;
- Contractions involontaires de certains muscles comme ceux de la paupière de l'œil (magnésium, calcium) ;
- Crises de spasmophilie (magnésium, phosphore, calcium) ;
- Déminéralisation osseuse (calcium, phosphore, acides organiques) ;
- Douleurs (coumarines) ;
- Grossesse (vitamine C, magnésium, fer) ;
- Hémorroïdes (coumarines) ;
- Infections (vitamine C, magnésium) ;
- Infections à répétition (vitamine C, flavonoïdes) ;

- Maladies cardio-vasculaires (vitamine C, Bêta-carotène, lycopène, zinc, flavonoïdes, magnésium, calcium) ;
- Maladies métaboliques (vitamine C, Bêta-carotène, lycopène, zinc, fibres solubles, flavonoïdes) ;
- Œdème (coumarines) ;
- Palpitations cardiaques (magnésium) ;
- Prévention de la cataracte (vitamine C) ;
- Prévention du vieillissement (vitamine C, Bêta-carotène, lycopène, zinc, minéraux) ;
- Problèmes de fertilité (vitamine C, E, Zinc) ;
- Sports (vitamine C, magnésium) ;
- Stress, angoisses (magnésium) ;
- Tabagisme (vitamine C) ;
- Troubles digestifs (fibres solubles et insolubles, coumarines) ;
- Varices (coumarines).

### CONSOMMATION

Les fraises se consomment très bien seules sans ajout de sucre. Le petit goût acidulé au début un peu désagréable devient vite familier.

## FRAMBOISE*

**40 kcal/100g**

*La framboise est un fruit rouge de l'été.*

### CARTE D'IDENTITÉ

Fibres alimentaires (solubles et insolubles), Glucides, Lipides (très peu), Protides (peu).

**Substances minérales et oligo-éléments** : Potassium, Phosphore, Calcium, Soufre, Magnésium, Sodium,

Chlore, Fer, Cuivre, Zinc, Manganèse.

**Vitamines** : C – Bêta-carotène – B1 – B2 – B3 ou PP – B5 – B6 – B9 – E.

**Autres substances** : Acides organiques, Flavonoïdes (anthocyanes, quercétine, tanins hydrolysables), Sorbitol.

## INTÉRÊT NUTRITIONNEL

La framboise est très riche en fibres (taux records) qui favorisent un bon transit intestinal ainsi qu'une réduction des taux de sucres et de graisse dans le sang. Le taux de minéraux est également remarquable. Les pigments anthocyaniques favorisent l'absorption de vitamine C.

Ainsi les framboises sont indiquées dans les cas suivants :

- Anémie (fer) ;
- Athérosclérose (vitamine C, Bêta-carotène, zinc, flavonoïdes, quercétine) ;
- Cancer (calcium, tanins).
- Contractions involontaires de certains muscles comme ceux de la paupière de l'œil (magnésium, calcium) ;
- Crises de spasmophilie (magnésium, phosphore, calcium) ;
- Déminéralisation osseuse (calcium, phosphore, acides organiques) ;
- Diarrhées (anthocyanes) ;
- Grossesse (vitamine C, magnésium, fer) ;
- Hémorroïdes et troubles veineux (anthocyanes) ;
- Infections (vitamine C, magnésium, anthocyanes) ;
- Infections à répétition (vitamine C, anthocyanes, quercétine) ;

- Maladies cardio-vasculaires (vitamine C, Bêta-carotène, zinc, flavonoïdes, magnésium, calcium, tanins) ;
- Maladies métaboliques (vitamine C, B3, Bêta-carotène, zinc, fibres solubles, anthocyanes, quercétine, tanins) ;
- Palpitations cardiaques (magnésium) ;
- Prévention du vieillissement (anthocyanes, vitamine C, Bêta-carotène, zinc, minéraux) ) ;
- Rhumatismes (quercétine, cuivre) ;
- Stress, angoisses (magnésium) ;
- Troubles digestifs (fibres solubles et insolubles).

### CONSOMMATION

Les framboises se consomment très bien seules sans ajout de sucre. Elles sont fragiles et ne se gardent guère plus de 2 ou 3 jours.

## GINGEMBRE*

**61 kcal/100g**

*Le rhizome du gingembre (racine) séché à l'air libre constitue le gingembre gris ou noir. Une fois pelé, lavé et séché au soleil (gingembre blanc), il est parfois aussi réduit en poudre.*

### CARTE D'IDENTITÉ

Fibres alimentaires, Glucides, Lipides, Protides.

**Substances minérales et oligo-éléments** : Potassium, Phosphore, Magnésium, Calcium, Sodium, Fer, Cuivre, Zinc, Sélénium.

**Vitamines** : B1 – B2 – B3 ou PP.

**Autres substances** : Enzymes de phase 2, Huiles essentielles riches en terpènes, Résine riche en composés phénoliques.

### INTÉRÊT NUTRITIONNEL

La richesse en vitamine B3, en enzymes de phase 2, en terpènes et en dérivés phénoliques antioxydants en font un condiment de choix pour combattre les situations suivantes :

- Cancer (enzymes de phase 2, terpènes, dérivés phénoliques) ;
- Mal des transports ;
- Maladies cardio-vasculaires (vitamine B3, magnésium, zinc, sélénium) ;
- Maladies métaboliques (cholestérol, triglycérides, diabète) ;
- Stress (magnésium) ;
- Troubles psychologiques (vitamine B3, magnésium).

### CONSOMMATION

La vitamine C disparaît lors de réduction en poudre du gingembre. L'usage de cette plante doit être évité chez les personnes atteintes de troubles de l'estomac.

## GOYAVE*

**60 kcal/100g**

*La goyave est un fruit de l'hiver.*

### CARTE D'IDENTITÉ

Fibres alimentaires (solubles et insolubles), Glucides, Lipides (peu), Protides.

**Substances minérales et oligo-éléments** : Potassium, Phosphore, Calcium, Magnésium, Sodium, Fer, Cuivre, Zinc, Manganèse.

**Vitamines** : C – Bêta-carotène – B1 – B2 – B3 ou PP – B5 – B6 – B9.

**Autres substances** : Acides organiques, Flavonoïdes.

## INTÉRÊT NUTRITIONNEL

La goyave surpasse encore le kiwi et le cassis par son extraordinaire richesse en vitamine C et par ses fibres. La goyave est bénéfique dans les cas suivants :

- Alcoolisme (vitamine E, B6, B9) ;
- Allaitement (vitamine C, B9) ;
- Anémie (vitamine B9, fer) ;
- Anxiété, dépression (vitamine B6, B9, magnésium) ;
- Contexte chirurgical (vitamine C) ;
- Contraception orale (pilule) (vitamine C, E, B6, B9) ;
- Déminéralisation osseuse (potassium, phosphore) ;
- Exposition solaire (vitamine E) ;
- Grossesse (vitamine C, B9, magnésium, calcium) ;
- Infections à répétition (vitamine C, E) ;
- Maladies cardio-vasculaires (vitamine C, E, B6, Bêta-carotène, zinc, flavonoïdes) ;
- Maladies métaboliques, dégénératives et cardio-vasculaires (vitamine C, E, flavonoïdes, fibres solubles) ;
- Personnes bénéficiant d'un traitement contre le cancer (vitamine E) ;
- Prévention de la cataracte (vitamine C) ;
- Prévention du vieillissement (vitamine C, B6, zinc, flavonoïdes) ;
- Problèmes de fertilité (vitamine C, E) ;
- Sports (vitamine C, E, B6) ;

- Tabagisme (vitamine C, E, B9) ;
- Troubles de concentration ou de mémoire (vitamine B9, magnésium) ;
- Troubles du transit (fibres).

## CONSOMMATION

Se consomme en salade de fruit, en coulis ou encore en sorbet.

# GROSEILLE*

**30 kcal/100g**

*La groseille est un fruit de l'été.*

## CARTE D'IDENTITÉ

Fibres alimentaires (solubles et insolubles), Glucides (la groseille est l'un des fruits les moins chargés en sucre), Lipides (très peu), Protides (peu).

**Substances minérales et oligo-éléments :** Phosphore, Potassium, Calcium, Magnésium, Sodium, Chlore, Fer, Cuivre, Zinc, Manganèse, Chrome, Nickel, Fluor, Iode, Sélénium.

**Vitamines** : C – Bêta-carotène – B1 – B2 – B3 ou PP – B5 – B6 – B9 – E.

**Autres substances** : Acides gras oméga-3 dans les grains, Acides organiques, Flavonoïdes (anthocyanes et quercétine), Sorbitol.

## INTÉRÊT NUTRITIONNEL

La groseille est très riche en fibres (taux records) qui favorisent un bon transit intestinal ainsi qu'une réduction des taux de sucres et de graisse dans le sang. Le taux de minéraux est également remarquable. Les pigments anthocyaniques favorisent l'absorption de vitamine C dont la teneur est équivalente à celle du pamplemousse ou de la clémentine. Elle contient en outres des fibres solubles et surtout insolubles.

Ainsi les groseilles sont indiquées dans les cas suivants :

- Anémie (fer) ;
- Athérosclérose (vitamine C, Bêta-carotène, zinc, flavonoïdes, quercétine) ;
- Cancer (calcium, tanins) …
- Contractions involontaires de certains muscles comme ceux de la paupière de l'œil (magnésium, calcium) ;
- Crises de spasmophilie (magnésium, phosphore, calcium) ;
- Déminéralisation osseuse (calcium, phosphore, acides organiques) ;
- Diarrhées (anthocyanes) ;
- Grossesse (vitamine C, magnésium, fer) ;
- Hémorroïdes et troubles veineux (anthocyanes) ;
- Infections (vitamine C, magnésium, anthocyanes) ;
- Infections à répétition (vitamine C, anthocyanes, quercétine) ;
- Maladies cardio-vasculaires (vitamine C, Bêta-carotène, zinc, flavonoïdes, magnésium, calcium, tanins) ;
- Maladies métaboliques (vitamine C, B3, Bêta-carotène, zinc, fibres solubles, anthocyanes, quercétine, tanins) ;
- Palpitations cardiaques (magnésium) ;
- Prévention du vieillissement (anthocyanes vitamine C, Bêta-carotène, zinc, minéraux) ;
- Rhumatismes (quercétine, cuivre) ;
- Stress, angoisses (magnésium) ;
- Troubles digestifs (fibres solubles et insolubles).

### CONSOMMATION

Les personnes atteintes de diverticulose colique (replis dans le revêtement du gros intestin qui s'infectent facilement) doivent éviter les groseilles et plus particulièrement leurs grains.

## HARICOT BLANC*

**120 kcal/100g**

*Il existe une confusion entre les fèves et les haricots.*

*Toutes deux appartiennent à la famille des légumineuses mais, pour les puristes, la première appartient au genre Vicia (fève des marais ou gourganes) et la seconde appartient au genre Phaseolus.*

*Le haricot blanc est un haricot vert qui a mûri.*

*On peut le consommer avec sa gousse (mange-tout) ou sous forme de graines encore immatures (flageolet) ou mature (haricot blanc).*

*On distingue le flageolet vert tendre, le haricot rouge et le coco blanc.*

*Le haricot blanc est une légumineuse de l'été.*

### CARTE D'IDENTITÉ

Fibres alimentaires (solubles et insolubles), Glucides, Lipides, Protides.

**Substances minérales et oligo-éléments** : Potassium, Calcium, Soufre, Phosphore, Magnésium, Chlore, Sodium, Bore, Fer, Cuivre, Zinc, Manganèse, Nickel, Fluor, Sélénium ;

**Vitamines** : C – béta-catotène – B1 – B2 B3 ou PP – B5 – B6 – B8 B9 – E.

**Autres substances** : Amylose, Inhibiteurs d'amylases, Inhibiteur de protéases, Inositol, Lectines, Phytostérols, Polyphénols, Saponines.

### INTÉRÊT NUTRITIONNEL

Les haricots blancs renferment des fibres solubles et insolubles ayant un effet bénéfique sur le transit, sur la flore intestinale et sur les taux de sucre et de cholestérol sanguin. Ce dernier effet est renforcé par la présence de saponines qui forment des savons avec l'eau et par celle d'amylose.

Par ailleurs les haricots sont riches en composé antioxydants dont l'action est augmentée par l'inositol qui aurait un rôle anticancéreux tout en diminuant le cholestérol sanguin. Les phytostérols, l'amylose, les inhibiteurs d'amylase les inhibiteurs de protéases renforcent l'action sur les troubles métaboliques tandis que les lectines et les polyphénols renforcent l'action anticancéreuse.

Une étude récente (2004) montre que la longévité et la consommation de légumineuses sont liées.

Ainsi les haricots blancs intéressent les personnes qui connaissent les situations suivantes :

- Anémie (fer et vitamine B9) ;
- Cancer (inositol, lectines, polyphénols) ;
- Constipation (fibres insolubles et solubles) ;
- Déminéralisation osseuse (phosphore, calcium, potassium) ;
- Excès de cholestérol ou de sucre (fibres solubles, vitamine B3, B5, inositol, saponines, phytostérols, inhibiteurs d'amylase et de protéases, amylose) ;
- Infections (vitamine C, cuivre, soufre) ;
- Maladies cardio-vasculaires (vitamine C, E, Bêta-carotène, zinc, sélénium, polyphénols) ;
- Rétention d'eau (bon rapport entre potassium et sodium) ;
- Troubles du transit (fibres) ;

- Troubles métaboliques (vitamine C, E, Bêta-carotène, zinc, sélénium, polyphénols, vitamine B3, B5, phytostérols, inhibiteurs d'amylase et de protéases, amylose) ;
- Vieillissement (minéraux et antioxydants).

### CONSOMMATION

Les haricots sont souvent synonymes de flatulences. Pour réduire cet effet, il suffit de les laisser tremper quelques heures dans de l'eau afin d'amollir la pellicule qui entoure les graines. Il faut aussi bien mastiquer de manière à ne pas laisser tout le travail aux intestins sous peine de désagréments. Enfin attention aux graisses qui accompagnent souvent ce met de choix.

## HARICOT VERT*

**40 kcal/100g**

*Les haricots verts sont des légumineuses de l'été.*

### CARTE D'IDENTITÉ

Fibres alimentaires, Glucides, Lipides, Protides.

**Substances minérales et oligo-éléments** : Potassium, Calcium, Soufre, Phosphore, Magnésium, Chlore, Sodium, Bore, Fer, Cuivre, Zinc, Manganèse, Nickel, Fluor, Sélénium.

**Vitamines** : C – béta-catotène – B1 – B2 – B3 ou PP – B5 – B6 – B8 – B9 – E.

**Autres substances** : Amylose, Inhibiteurs d'amylases, Inhibiteur de protéases, Inositol, Lectines, Phytostérols, Polyphénols, Saponines.

## INTÉRÊT NUTRITIONNEL

Les haricots verts renferment des fibres solubles et insolubles ayant un effet bénéfique sur le transit, sur la flore intestinale et sur les taux de sucre et de cholestérol sanguin. Ce dernier effet est renforcé par la présence de saponines qui forment des savons avec l'eau. Par ailleurs ils sont riches en composé antioxydants (vitamine C, E, Bêta-carotène, zinc, sélénium, polyphénols, inositol). L'inositol vient renforcer l'effet antioxydant et aurait un rôle anticancéreux tout en diminuant le cholestérol sanguin.

Ainsi les haricots verts intéressent les personnes qui connaissent les situations suivantes :

- Anémie (fer et vitamine B9) ;
- Cancer (inositol, lectines, polyphénols) ;
- Constipation (fibres insolubles et solubles) ;
- Déminéralisation osseuse (phosphore, calcium, potassium) ;
- Excès de cholestérol ou de sucre (fibres solubles, vitamine B3, B5, inositol, saponines, phytostérols, inhibiteurs d'amylase et de protéases, amylose) ;
- Infections (vitamine C, cuivre, soufre) ;
- Maladies cardio-vasculaires (vitamine C, E, Bêta-carotène, zinc, sélénium, polyphénols ;
- Rétention d'eau (bon rapport entre potassium et sodium) ;
- Troubles du transit (fibres) ;
- Troubles métaboliques (vitamine C, E, Bêta-carotène, zinc, sélénium, polyphénols, vitamine B3, B5, phytostérols, inhibiteurs d'amylase et de protéases, amylose) ;
- Vieillissement (minéraux et antioxydants).

### CONSOMMATION

La cuisson diminue la concentration de vitamines, de protides et de glucides, de potassium, de calcium et de phosphore. En revanche les caroténoïdes, le magnésium, le fer et les fibres ne sont pas altérés par la cuisson. L'idéal est donc une cuisson douce à la vapeur.

## HUÎTRE

**80 kcal/100g**

*L'huître est un mollusque bivalve.*

### CARTE D'IDENTITÉ

Glucides (traces), Lipides, Protides.

**Substances minérales et oligo-éléments** : Phosphore, Potassium, Sodium, Calcium, Magnésium, Sélénium, Fer, Zinc Cuivre, Manganèse, Iode.

**Vitamines** : A – B3 ou PP – B6 – B9 – B12 – C – D – E – K.

**Autres substances** : Acides gras oméga-3 (DHA et EPA), Acides gras mono-insaturés oméga-9.

### INTÉRÊT NUTRITIONNEL

L'intérêt de l'huître réside dans sa richesse en vitamine B12 mais aussi en sélénium, en cuivre et en zinc, trois des minéraux antioxydants mais aussi riches en acides gras de la familles oméga-3 (un protecteur pour le cœur et les membranes cellulaires). Les huîtres contiennent également du fer et des vitamines B3 et D.

Ainsi les huîtres sont indiquées dans les cas suivants :

- Adolescence (fer) ;
- Alcoolisme (vitamine B12) ;
- Allergies (oméga-3) ;
- Anémie (fer, vitamine C, B6, B9, B12) ;
- Cancer (Vitamine C, sélénium, zinc, oméga-3) ;
- Cancer (vitamine D) ;
- Crises de spasmophilie (ou de tétanie) (magnésium, calcium, phosphore, vitamine B6, B3, D) ;
- Femmes allaitantes (vitamine B12, B9, C, D, fer) ;
- Grossesse (fer, oméga-3, vitamine B12, C, D) ;
- Infections à répétition (sélénium, magnésium) ;
- Les personnes ayant des troubles mineurs du fonctionnement de la thyroïde lorsqu'il est nécessaire de la stimuler (iode) ;
- Maladies auto-immunes (anticorps contre soi-même) (oméga-3) ;
- Maladies cardio-vasculaires en général (sélénium, zinc, manganèse, oméga-3, vitamine C, E, B3) ;
- Maladies métaboliques en général – diabète, cholestérol, triglycérides, obésité – (Vitamine B3, C, oméga-3) ;
- Myoclonies (contractions involontaires de certains muscles comme ceux de la paupière de l'œil) (magnésium) ;
- Palpitations cardiaques (magnésium, calcium) ;
- Prévention du vieillissement (oméga-3, zinc, sélénium, vitamine C, D) ;
- Rhumatismes (vitamine C, oméga-3) ;
- Stress, angoisses (vitamine B3, B6, D, magnésium) ;
- Suites d'opération chirurgicale (Sélénium, vitamine B5, zinc) ;
- Troubles gastro-intestinaux (vitamine B12).

### CONSOMMATION

Ne laver et brosser les huîtres qu'à la dernière minute. Au moment d'ouvrir une huître, toujours la placer côté arrondi vers le bas afin qu'elle préserve la totalité de ses liquides internes. Attention au sel dans les cas d'hypertension artérielle ou de rétention d'eau.

## KAKI*

63 kcal/100g

*Le kaki ou plaquemine est un fruit rouge originaire de chine que l'on trouve à l'automne et en hiver.*

### CARTE D'IDENTITÉ

Fibres alimentaires (surtout insolubles), Glucides, Lipides (peu), Protides.

**Substances minérales et oligo-éléments** : Potassium, Chlore, Phosphore, Calcium, Magnésium, Fer, Zinc, Cuivre, Manganèse.

**Vitamines** : C – Bêta-carotène – B1 – B2 – B3 ou PP – B9.

**Autre substances** : Acides organiques, Caroténoïdes (lycopène, zéaxanthine), Flavonoïdes (tanins).

### INTÉRÊT NUTRITIONNEL

Le kaki est très riche en Bêta-carotène (juste après la mangue le melon et l'abricot). Les tanins ont un rôle anticancer.

Ainsi le kaki est indiqué dans les cas suivants :

- Athérosclérose (vitamine C, Bêta-carotène, zinc) ;
- Cancer (calcium, tanins) ;
- Crises de spasmophilie (magnésium, phosphore, calcium) ;

- Déminéralisation osseuse (calcium, phosphore, acides organiques) ;
- Grossesse (vitamine C, magnésium, fer) ;
- Infections à répétition (vitamine C, cuivre) ;
- Maladies cardio-vasculaires (vitamine C, Bêta-carotène, zinc, magnésium, calcium, tanins) ;
- Maladies métaboliques (vitamine C, B3, Bêta-carotène, zinc, fibres solubles, tanins) ;
- Prévention du vieillissement (tanins, vitamine C, Bêta-carotène).

### CONSOMMATION

Le kaki se consomme cru et très mûr sous peine d'être immangeable. Souvent, après en avoir éliminé la peau très astringente, on le déguste pelé pour le préparer en tranches, en cubes, nature ou ajoutés à une salade de fruits, ou tout simplement à la petite cuillère, après l'avoir décalotté (on peut aussi en retirer les petits grains pour les personnes souffrant de troubles digestifs).

## KIWI*

**53 kcal/100g**

*Le kiwi est théoriquement un fruit de l'hiver mais on en trouve aujourd'hui toute l'année. Il est originaire de Chine.*

### CARTE D'IDENTITÉ

Fibres alimentaires (insolubles mais aussi solubles), Glucides, Lipides, Protides.

**Substances minérales et oligo-éléments** : Potassium, Phosphore, Calcium, Magnésium, Sodium, Fer, Cuivre, Zinc, Manganèse.

**Vitamines** : C – Bêta-carotène – B1 – B2 – B3 ou PP – B5 – B6 – B9 – E.

**Autres substances** : Acides organiques, Acides phénoliques, Actinidine, Flavonoïdes.

## INTÉRÊT NUTRITIONNEL

Le kiwi se distingue par son extraordinaire richesse en vitamine C, mais aussi par les taux importants de vitamine E ce qui est surprenant pour un fruit non oléagineux. Les vitamine B6 et B9 sont bien représentées ainsi qu'à un moindre degré le fer et le cuivre. Les protéines consommées au cours d'un repas comprenant un kiwi sont mieux digérées grâces à l'actinidine contenue dans ce fruit.

Le kiwi est donc bénéfique dans les cas suivants :

- Alcoolisme (vitamine E, B6, B9) ;
- Allaitement (vitamine C, B9) ;
- Anémie (vitamine B9, fer) ;
- Anxiété, dépression(vitamine B6, B9, magnésium) ;
- Contexte chirurgical (vitamine C) ;
- Contraception orale (pilule) (vitamine C, E, B6, B9) ;
- Déminéralisation osseuse (potassium) ;
- Exposition solaire (vitamine E) ;
- Grossesse (vitamine C, B9, magnésium, calcium) ;
- Infections à répétition (vitamine C, E) ;
- Maladies cardio-vasculaires (vitamine C, E, B6, Bêta-carotène, zinc, flavonoïdes, acides phénoliques) …
- Maladies métaboliques, dégénératives et cardio-vasculaires (vitamine C, E) …
- Prévention de la cataracte (vitamine C) ;

- Prévention du vieillissement (vitamine C, B6, zinc, flavonoïdes) ;
- Problèmes de fertilité (vitamine C, E) ;
- Sports (vitamine C, E, B6) ;
- Syndrome prémenstruel (vitamine B6) ;
- Tabagisme (vitamine C, E, B9) ;
- Traitement contre le cancer (vitamine E) ;
- Troubles de concentration ou de mémoire (vitamine B9, magnésium) ;
- Troubles du transit (fibres, actinidine).

### CONSOMMATION

D'autres substances présentes dans le kiwi (non encore identifiées précisément) jouent un rôle bénéfique sur le cancer. Le jus de kiwi agit notamment sur la formation de nitrosamine cancérogène à partir des nitrates.

## LAITUE*

**18 kcal/100g**

*On appelle « laitue » diverses plantes potagères annuelles que l'on consomme crues ou cuites comme la feuille de chêne, les laitues grasses (craquerelle, sucrine, têtue de Nîmes), la lollo rossa, les laitues pommées batavia (batavia blondes et batavia rouges), les laitues pommées beurre, les romaines.*

### CARTE D'IDENTITÉ

Fibres alimentaires (insolubles), Glucides, Lipides, Protides.

**Substances minérales et oligo-éléments** : Potassium, Calcium, Phosphore, Sodium, Magnésium, Bore, Fer, Cuivre, Zinc, Manganèse, Fluor, Sélénium.

**Vitamines** : C Bêta-carotène – B1 – B2 – B3 ou PP – B5 – B6 – B9 – E.

**Autres substances** : Acides gras oméga-3 (alpha-linolénique) et oméga-6 (acide linoléique), Enzymes de phase 2, Flavonoïdes, Lutéine.

## INTÉRÊT NUTRITIONNEL

L'intérêt de la laitue consiste dans ses fibres insolubles qui améliorent le transit et la flore intestinale, dans ses minéraux alcalinisants, dans ses acides gras qui bien que peu abondants sont de très bonne qualité (notamment les oméga-3) et dans ses composants antioxydants (vitamine C, Bêta-carotène, zinc, sélénium, flavonoïdes) et anticancéreux (enzymes de phase 2).

Ainsi la laitue est recommandée dans les cas suivants :

- Cancer (vitamine C, Bêta-carotène, zinc, sélénium, flavonoïdes, oméga-3, enzymes de phase 2) ;
- Caries dentaires (fibres insolubles) ;
- Déminéralisation osseuse (potassium, phosphore, calcium) ;
- Maladies cardio-vasculaires (vitamine C, Bêta-carotène, zinc, sélénium, flavonoïdes, oméga-3) ;
- Maladies inflammatoires ou auto-immunes (oméga-3, cuivre) ;
- Maladies métaboliques (vitamine C, Bêta-carotène, zinc, sélénium, flavonoïdes, oméga-3, vitamine B3) ;
- Troubles de la mémoire (oméga-3) ;
- Troubles de la vue (lutéine, vitamine C) ;
- Troubles du transit (fibres) ;
- Vieillissement (composition très variée en vitamines, minéraux et autres substances).

### CONSOMMATION

La laitue est faiblement calorique, il serait dommage de la noyer dans l'huile de la vinaigrette. Choisir pour cette dernière de l'huile de noix ou de colza riches en oméga-3.

## LAURIER*

**0 kcal**

*Le laurier est une herbe aromatique symbole de gloire et d'esprit chez les romains mais aussi d'immortalité (ses feuilles restent toujours vertes).*

### CARTE D'IDENTITÉ

Glucides, Lipides et de Protides à l'état de traces.

**Substances minérales et oligo-éléments** : calcium, potassium, fer essentiellement mais de façon peu abondante.

**Vitamines** : B9, C à l'état de traces.

**Autre substances** : Caroténoïdes, Chlorophylle, Terpènes.

### INTÉRÊT NUTRITIONNEL

La chlorophylle et le monoterpène possèdent des propriétés antibactériennes et facilitent la libération d'énergie par l'organisme ; les caroténoïdes sont de puissants antioxydants.

Ainsi le laurier peut être consommé en cas de :

- Fatigue (fer, vitamine C, chlorophylle) ;
- Infection (chlorophylle, vitamine C) ;
- Maladies cardio-vasculaires (caroténoïdes).

### CONSOMMATION

Le laurier est une plante aromatique qui accompagne de nombreux mets dans le « régime méditerranéen ».

## LENTILLE*

**338 kcal/100g**

*Les lentilles sont des légumineuses. La lentille verte du Puy est la seule à avoir une appellation d'origine contrôlée.*

### CARTE D'IDENTITÉ

Fibres alimentaires (solubles et insolubles), Glucides, Lipides, Protides.

**Substances minérales et oligo-éléments** : Potassium, Calcium, Soufre, Phosphore, Magnésium, Chlore, Sodium, Bore, Fer, Cuivre, Zinc, Manganèse, Nickel, Fluor, Sélénium.

**Vitamines** : C béta-catotène – B1 – B2 B3 ou PP – B5 – B6 – B8 B9 – E – K.

**Autres substances** : Amylose, Anthocyanes, Inhibiteurs d'amylases, Inhibiteur de protéases, Inositol, Lectines, Phytostérols, Polyphénols, Saponines.

### INTÉRÊT NUTRITIONNEL

Les lentilles renferment des fibres solubles et insolubles ayant un effet bénéfique sur le transit, sur la flore intestinale et sur les taux de sucre et de cholestérol sanguin. Ce dernier effet est renforcé par la présence de saponines qui forment des savons avec l'eau et par celle d'amylose et par les anthocyanes.

Par ailleurs les haricots sont riches en composés antioxydants augmenté par l'inositol qui aurait un rôle anticancéreux tout en diminuant le cholestérol sanguin. Les phytostérols, l'amylose, les inhibiteurs d'amylase les inhibiteurs de protéases renforcent l'action sur les troubles métaboliques tandis que les lectines et les polyphénols renforcent l'action anticancéreuse.

Une étude récente (2004) montre que la longévité et la consommation de légumineuses sont liées.

Ainsi les lentilles intéressent les personnes concernées par les situations suivantes :

- Anémie (fer et vitamine B9) ;
- Cancer (inositol, lectines, polyphénols) ;
- Constipation (fibres insolubles et solubles) ;
- Déminéralisation osseuse (phosphore, calcium, potassium) ;
- Excès de cholestérol ou de sucre (fibres solubles, vitamine B3, B5, inositol, saponines, phytostérols, inhibiteurs d'amylase et de protéases, amylose) ;
- Infections (vitamine C, cuivre, soufre, anthocyanes) ;
- Maladies cardio-vasculaires (vitamine C, E, Bêta-carotène, zinc, sélénium, polyphénols) ;
- Rétention d'eau (bon rapport entre potassium et sodium) ;
- Troubles du transit et diarrhées (fibres, anthocyanes) ;
- Troubles métaboliques (vitamine C, E, Bêta-carotène, zinc, sélénium, polyphénols, vitamine B3, B5, phytostérols, inhibiteurs d'amylase et de protéases, amylose, anthocyanes) ;
- Troubles veineux(anthocyanes) ;
- Vieillissement (minéraux, antioxydants, anthocyanes).

### CONSOMMATION

Cuire les lentilles à feu moyen dans le double de volume d'eau afin de préserver les vitamines. Se consomment aussi en salade.

## LIN*

340 kcal/100g

### CARTE D'IDENTITÉ

Acides gras mono-insaturés oméga-9, Acides gras saturés (peu), Acides gras poly-insaturés de la série oméga-6 et surtout de la série oméga-3, Flavonoïdes, Lignanes, Lipides, Vitamine E.

### INTÉRÊT NUTRITIONNEL

Les graines de lin possèdent une teneur très élevée en acides gras poly-insaturés de la série oméga-3 qui peut réduire de 70% les risques de maladies coronariennes.

Les graines de lin s'adressent donc aux personnes :

- Allergiques (oméga-9 et oméga-3) ;
- Atteintes d'anorexie (oméga-3) ;
- Atteintes de maladie auto-immune (thyroïdite, lupus…) ;
- Ayant des antécédents familiaux ou personnels de cancer (oméga-3) ;
- Ayant des maladies métaboliques (diabète, cholestérol, triglycérides, surpoids) ;
- Ayant des troubles de la concentration ou de la mémoire ;
- Souffrant d'inflammations comme les rhumatismes (oméga-3, oméga-6) ;

- Souffrant de maladies cardio-vasculaires grâce aux fameux oméga-3 qui fluidifient le sang et dilatent les vaisseaux ;
- Souffrant de maladies de peau, les oméga-3 fluidifient également les membranes des cellules qui forment le revêtement cutané.

### CONSOMMATION

Les graines contiennent à la fois des oméga-3, mais également des lignanes, un type de phytœstrogènes aux propriétés similaires au soja. L'industrie alimentaire l'utilisent dans les produits céréaliers (pains, bagels, céréales) mais également sous forme d'huile de lin dans le lait (Natrel). Les œufs oméga-3 sont obtenus avec des poules nourries avec principalement des graines de lin et contribuent ainsi à notre apport en oméga-3.

On peut prendre une cuillère à soupe de graines de lin (moulues de préférence, surtout pour les intestins sensibles) par jour en les ajoutant aux yogourts, fromage blanc, compotes…

L'huile de lin est interdite à la consommation… en France.

## MÂCHE*

**36 kcal/100g**

*On cultive la mâche (ou doucette) de septembre à mars.*

### CARTE D'IDENTITÉ

Fibres alimentaires (insolubles), Glucides, Lipides, Protides.

**Substances minérales et oligo-éléments** : Potassium, Calcium, Sodium, Magnésium, Phosphore, Chlore, Fer, Zinc, Cuivre, Manganèse, Nickel, Bore, Fluor, Cobalt, Chrome, Iode, Sélénium.

**Vitamines** : C. Bêta-carotène – B1 – B2 – B3 ou PP – B5 – B6 – B9 – E – K.

**Autres substances** : Acides alpha-linoléique (oméga-3), Caroténoïdes (lutéine), Enzymes de phase 2, Flavonoïdes (quercétine, apigénine, catéchine…), Terpènes.

## INTÉRÊT NUTRITIONNEL

La mâche est très riche en vitamine B9 contenue dans ses feuilles mais aussi en caroténoïdes (dont le Bêta-carotène) et également en vitamine C. Elle est également bien pourvue en minéraux et en oligo-éléments.

Ainsi la mâche est indiquée dans les cas suivants :

- Alcoolisme(vitamine B9, B1, E) ;
- Allaitement (vitamine C, calcium, phosphore, magnésium) ;
- Anémie (fer, vitamine B9) ;
- Cancer (flavonoïdes, vitamine C et E, Bêta-carotène zinc, terpènes, enzymes de phase 2) ;
- Constipation (fibres insolubles) ;
- Contexte chirurgical (vitamine C, B5, fer) ;
- Déminéralisation osseuse (calcium, potassium, phosphore, Vitamine K) ;
- Dépression (vitamine B9, B6, magnésium) ;
- Exposition solaire (vitamine E) ;
- Grossesses (fer, vitamine B9, C, magnésium) ;
- Infections à répétition (vitamine C, terpènes) ;
- Lors d'une contraception orale (vitamine B9, C, E)
- Maladies cardio-vasculaires (vitamine C, E, Bêta-carotène, caroténoïdes, zinc, sélénium, flavonoïdes, oméga-3) ;
- Maladies métaboliques (vitamine B3, C, E, Bêta-carotène) ;

- Prévention de la cataracte (vitamine C) ;
- Prévention du vieillissement (vitamine C, E, zinc, sélénium, flavonoïdes) ;
- Problèmes de fertilité (vitamine C, E, zinc) ;
- Rhumatismes (vitamine E, cuivre) ;
- Sports (vitamine C, E, magnésium) ;
- Tabagisme(vitamine B9, C, E) ;
- Troubles de concentration ou de mémoire (vitamine B9, B6, B1) ;
- Vieillissement (vitamines B9, C, K, fer).

### CONSOMMATION

La mâche se flétrit très vite, il faut donc l'assaisonner au dernier moment. Elle peut se consommer également cuite ce qui libère les caroténoïdes mais diminue les autres vitamines.

## MANDARINE*

*Voir Clémentine.*

## MANGUE*

62 kcal/100g

*La mangue est un fruit exotique de l'hiver.*

### CARTE D'IDENTITÉ

Fibres alimentaires (surtout insolubles), Glucides, Lipides (très peu), Protides (peu).

**Substances minérales et oligo-éléments** : Potassium, Phosphore, Calcium, Soufre, Magnésium, Sodium, Chlore, Fer, Cuivre, Zinc, Manganèse.

**Vitamines** : C – Bêta-carotène – B1 – B2 – B3 ou PP – B5 – B6 – B9 – E.

**Autres substances** : Acides organiques, Flavonoïdes (anthocyanes, quercétine), Xanthophylles et autres caroténoïdes comme le lycopène.

## INTÉRÊT NUTRITIONNEL

La mangue est très riche en vitamine C et en caroténoïdes.

Les pigments anthocyaniques et les flavonoïdes favorisent l'absorption de vitamine C et sont dotés de propriétés antioxydantes et anticancéreuses.

Ainsi les mangues sont indiquées dans les cas suivants :

- Anémie (fer, vitamine C, B9) ;
- Athérosclérose (vitamine C, Bêta-carotène, zinc, flavonoïdes, quercétine) ;
- Cancer (calcium, tanins) ;
- Constipation (fibres insolubles) ;
- Déminéralisation osseuse (calcium, phosphore, acides organiques, potassium) ;
- Diarrhées (anthocyanes) ;
- Grossesse (vitamine C, magnésium, fer) ;
- Hémorroïdes et troubles veineux (anthocyanes) ;
- Infections (vitamine C, magnésium, anthocyanes) ;
- Infections à répétition (vitamine C, anthocyanes, quercétine) ;

- Maladies cardio-vasculaires (vitamine C, Bêta-carotène, zinc, flavonoïdes, magnésium, calcium) ;
- Maladies métaboliques (vitamine C, B3, Bêta-carotène, zinc, anthocyanes, quercétine) ;
- Prévention du vieillissement (anthocyanes, vitamine C, Bêta-carotène, zinc, minéraux) ;
- Rhumatismes (quercétine, cuivre).

### CONSOMMATION

La mangue est parfaitement tolérée même par les intestins délicats à condition d'être mûre à point.

## MELON*

**31 kcal/100g**

*Le melon est un fruit de l'été pour le consommateur mais un légume apparenté à la courge pour le botaniste.*

### CARTE D'IDENTITÉ

Fibres alimentaires, Glucides, Protides (peu).

**Substances minérales et oligo-éléments** : Potassium, Chlore, Phosphore, Sodium, Calcium, Magnésium, Soufre, Fer, Bore, Cuivre, Zinc, Manganèse, Iode.

**Vitamines** : C – Bêta-carotène (avec la mangue et l'abricot c'est le fruit qui en contient le plus) – B1 – B2 – B3 ou PP – B5 – B6 – B9 – E.

**Autres substances** : Cucurbitacines, Lycopène.

## INTÉRÊT NUTRITIONNEL

Le melon est riche en Bêta-carotène et en vitamine C. Son potassium et le peu de sodium le rendent diurétique tandis que ses fibres solubles et insolubles facilitent un bon transit.

En conséquence la consommation de melon sera mise à profit dans les cas suivants :

- Anémie (fer, vitamine B9, C) ;
- Bronzage (Bêta-carotène) ;
- Cancer (cucurbitacines, lycopène) ;
- Cheveux gras (soufre) ;
- Déminéralisation osseuse (calcium, phosphore, potassium) ;
- Fatigue (vitamine C, fer) ;
- Maladies cardio-vasculaires (vitamine C, E, Bêta-carotène, lycopène, zinc, manganèse, potassium, cucurbitacines) ;
- Maladies métaboliques (vitamine C, E, Bêta-carotène, lycopène, zinc, manganèse, potassium, fibres solubles, cucurbitacines) ;
- Rétention d'eau (rapport entre le potassium et le sodium) ;
- Rhumatismes (curcubitacines, soufre, cuivre) ;
- Troubles du transit (fibres insolubles et solubles) ;
- Vieillissement (Bêta-carotène, vitamine C, E, zinc, manganèse).

## CONSOMMATION

Le melon est gorgé d'eau ce qui le rend très rafraîchissant.

# MÛRE*

**57 kcal/100g**

*La mûre est une baie de l'été.*

## CARTE D'IDENTITÉ

Fibres alimentaires (peu et insolubles en majorité), Glucides, Lipides (très peu), Protides (peu).

**Substances minérales et oligo-éléments** : Potassium, Calcium, Phosphore, Magnésium, Sodium, Fer, Bore, Cuivre, Zinc, Manganèse.

**Vitamines** : C – Bêta-carotène – B1 – B2 – B3 ou PP – B5 – B6 - E.

**Autres substances** : Acides organiques, Flavonoïdes (anthocyanes, quercétine, apigénine, catéchine…), Resvératrol.

## INTÉRÊT NUTRITIONNEL

L'intérêt nutritionnel des mûres réside dans ses flavonoïdes aux propriétés fluidifiantes, antioxydantes, anticancéreuses, dans ses vitamines (notamment C) et sa richesse en calcium, phosphore et magnésium mais aussi en fer.

Ainsi la mûre est utile dans les cas suivants :

- Allaitement (vitamine C) ;
- Anémie (fer, vitamine B9) ;
- Cancer (vitamine C, E, Bêta-carotène, catéchine, calcium pour le côlon) ;
- Contexte chirurgical (vitamine C, B5, E) ;
- Contraception orale (vitamine C) ;
- Crises de tétanie ou de spasmophilie (calcium, magnésium) ;

- Déminéralisation (calcium, phosphore, acides organiques, potassium) ;
- Diarrhée (catéchine) ;
- Excès de cholestérol et de triglycérides (flavonoïdes de type anthocyanes) ;
- Grossesse (vitamine C, B9) ;
- Infections à répétition (vitamine C, anthocyanes) ;
- Maladies cardio-vasculaires (vitamine C, E, Bêta-carotène, flavonoïdes, zinc) ;
- Maladies métaboliques (vitamine C, E, B3, Bêta-carotène, flavonoïdes, zinc) ;
- Prévention de la cataracte (vitamine C) ;
- Prévention du vieillissement (vitamine C, E, Bêta-carotène, flavonoïdes et anthocyanes) ;
- Problèmes de fertilité (vitamine C, E, Zinc) ;
- Sports (vitamine C, magnésium) ;
- Tabagisme (vitamine C) ;
- Troubles veineux (anthocyanes)
- Troubles veineux(anthocyane).

### CONSOMMATION

Penser à accomoder vos desserts avec des mûres, ou mieux, à les consommer seules sans sucre.

# MYRTILLE*

**16 kcal/100g**

*La myrtille est une baie de couleur violet-noir de l'été.*

## CARTE D'IDENTITÉ

Fibres alimentaires nombreuses (insolubles en majorité), Glucides, Lipides (très peu), Protides (peu).

**Substances minérales et oligo-éléments** : Potassium, Calcium, Phosphore, Magnésium, Sodium, Fer, Cuivre, Zinc, Manganèse Nickel, Fluor.

**Vitamines** : C – Bêta-carotène – B1 – B2 – B3 ou PP – B5 – B6 - E.

**Autres substances** : Acides organiques, Flavonoïdes (anthocyanes, biflavanes, catéchine…).

## INTÉRÊT NUTRITIONNEL

L'intérêt nutritionnel des myrtilles réside dans sa quantité record de flavonoïdes aux propriétés fluidifiantes, antioxydantes, anticancéreuses, dans ses vitamines (notamment C).

Ainsi la myrtille est utile dans les cas suivants :

- Allaitement (vitamine C) ;
- Anémie (fer, vitamine B9) ;
- Anti-diarrhéique (anthocyanes, fibres solubles) ;
- Cancer (vitamine C, E, Bêta-carotène, catéchine, calcium pour le côlon) ;
- Cholestérol et triglycérides (flavonoïdes de type anthocyanes) ;
- Contexte chirurgical (vitamine C, B5, E) ;
- Contraception orale (vitamine C) ;
- Crises de tétanie ou de spasmophilie (calcium, magnésium) ;

- Déminéralisation (calcium, phosphore, acides organiques, potassium) ;
- Femmes prévoyant une grossesse à court terme (vitamine C) ;
- Infections à répétition (vitamine C, anthocyanes) ;
- Maladies cardio-vasculaires (vitamine C, E, Bêta-carotène, flavonoïdes, zinc) ;
- Maladies métaboliques (vitamine C, E, B3, Bêta-carotène, flavonoïdes, zinc, fibres solubles) ;
- Prévention de la cataracte (vitamine C) ;
- Prévention du vieillissement (vitamine C, E, Bêta-carotène, flavonoïdes et anthocyanes) ;
- Problèmes de fertilité (vitamine C, E, Zinc) ;
- Sports (vitamine C, magnésium) ;
- Tabagisme (vitamine C) ;
- Troubles veineux (anthocyanes, biflavanes)
- Troubles veineux(anthocyane, biflavanes).

### CONSOMMATION

En jus, en accompagnement et en salade de fruits.

## NAVET*

35 kcal/100g

*Il possède les caractéristiques des crucifères et est également riche en soufre et en lutéine. On ne le trouve pas en été.*

### CARTE D'IDENTITÉ

Fibres alimentaires surtout insolubles, Glucides, Protides.

- **Substances minérales et oligo-éléments** : Potassium, Phosphore, Calcium, Magnésium, Soufre, Sodium, Fer, Cuivre, Zinc, Manganèse.

**Vitamines** : C – B1 – B2 – B3 ou PP – B5 – B6 – B8 – B9.

**Autres substances** : Caroténoïdes (lutéine, zéaxanthine), Enzymes de phase 2, Indoles, Sulforaphane.

## INTÉRÊT NUTRITIONNEL

Les propriétés médicinales du navet recouvrent celles des crucifères décrites plus haut. La présence de soufre et de vitamine C lui confèrent un rôle anti-infectieux.

- Comme tous les crucifères le navet possède une action protectrice vis-à-vis du cancer grâce à ses fibres (cancers digestifs, pumonaire et sein) mais aussi grâce à ses composés antioxydants, au sulforaphane et aux indoles.
- Infections broncho-pulmonaires et rhinopharyngées.

## CONSOMMATION

Quand ils sont petits et jeunes, il suffit de les passer sous l'eau courante. Les navets plus gros s'épluchent. Mieux vaut les cuire dans deux eaux car les fibres et le soufre qu'ils contiennent les rendent indigestes.

La composition du rutabaga et son intérêt nutritionnel est très proche du navet.

# NOISETTE*

**656 kcal/100g (1 noisette correspond à 10 kcal)**

*La noisette est un fruit oléagineux.*

*Elle est récoltée un peu avant maturité.*

*On la trouve au printemps, à l'automne, et en hiver.*

## CARTE D'IDENTITÉ

Fibres alimentaires (solubles) Glucides, Lipides (surtout acides gras mono-insaturés de la série oméga-9), Protides.

**Substances minérales et oligo-éléments** : Potassium, Phosphore, Calcium, Magnésium, Soufre, Sodium, Fer, Cuivre, Zinc.

**Vitamines** : Bêta-carotène (peu) – B1 – B2 – B3 ou PP – B5 – B9 – E.

**Autres substances** : Coenzyme Q10, Phytostérols, Polyphénols.

## INTÉRÊT NUTRITIONNEL

Le magnésium et la vitamine B5 sont en abondance dans la noisette.

Les lipides (graisses) sont moins abondants dans la noisette que dans la noix. En outre les acides gras de la noisette sont de type mono-insaturés, ce qui la rapproche davantage de l'olive que de la noix sur ce chapitre. De cette composition de la noisette découle l'utilisation pour les situations suivantes :

- Excès de cholestérol et de tri g lycérides (fibres solubles) ;
- Grossesses ou allaitantes (vitamine B5) ;
- Maladies cardio-vasculaires (oméga-9, vitamine E, zinc, calcium et magnésium) ;
- Maladies métaboliques (vitamine B5) ;

- Personnes devant se faire opérer (vitamine B5 cicatrisante) ;
- Spasmophilie et stress (magnésium et vitamine B6) ;
- Troubles de la peau (vitamine B5).

### CONSOMMATION

Les noisettes sont moins caloriques que les noix car elles sont moins riches en lipides.

## NOIX*

**660 kcal/100g (1 noix correspond à 20 kcal)**

*La noix est un fruit oléagineux qui se consomme immédiatement après sa récolte en automne.*

### CARTE D'IDENTITÉ

Fibres alimentaires (surtout solubles), Glucides, Lipides (acides gras poly-insaturés de la série oméga-6 et surtout oméga-3), Protides.

**Substances minérales et oligo-éléments** : Potassium, Phosphore, Calcium, Magnésium, Soufre, Sodium, Fer, Cuivre, Zinc.

**Vitamines** : Bêta-carotène – B1 – B2 – B3 ou PP – B5 – B9 – E.

**Autres substances** : Coenzyme Q10, Phytostérols, Polyphénols.

### INTÉRÊT NUTRITIONNEL

L'intérêt nutritionnel réside dans les composants suivants :

- les lipides (graisses) sont présents sous la forme d'acides gras de la série oméga-3. Ces acides gras sont doués de nombreuses propriétés protectrices cardio-vasculaires, anti-inflammatoires et vraisemblablement anticancéreuses ;

- les vitamines du groupe B ;
- ses antioxydants (vitamine E et zinc) ;
- ses fibres solubles (pectine) capables de piéger le cholestérol dans les intestins et d'en réduire la quantité dans le sang ;
- son magnésium qui agit sur le stress.

Ainsi les noix sont indiquées dans les cas suivants :

- Alcoolisme (vitamines du groupe B) ;
- Antécédents personnels ou familiaux de cancer ;
- Excès de cholestérol et de triglycérides (oméga-3, fibres solubles, phytostérols, vitamine B3) ;
- Maladies cardio-vasculaires (oméga-3, vitamine E, zinc, calcium et magnésium) ;
- Rhumatismes (effet anti-inflammatoires des oméga-3) ;
- Spasmophilie et stress (magnésium et vitamine B6).

### CONSOMMATION

Une noix par jour se révèle bénéfique pour la santé. L'huile de noix peut assaisonner des salades, cependant l'effet de l'huile de colza (également riche en acides gras oméga-3) s'est révélée plus efficace selon les différentes études effectuées jusqu'à ce jour.

Ne pas consommer de noix ayant un goût amer car cela signifie que les lipides sont oxydées.

## NOIX DE CAJOU*

**612 kcal/100g**

*Les noix de cajou se distingue de la noix par sa richesse en acide oléique de type oméga-9 (bénéfique pour le système cardio-vasculaire), le même que dans la noisette dont les composants et les indications sont apparentées.*

Attention toutefois aux préparations grillées et salées en cas de maladies cardio-vasculaires ou de rétention d'eau.

La noix de cajou est la moins grasse de toutes les noix. Elle est riche en zinc et en manganèse aux multiples propriétés bénéfiques (voir ces termes en deuxième partie de l'ouvrage).

## NOIX DE PÉCAN*

**620 kal/100g**

*La noix de pécan est un peu plus riche que la noix de cajou en graisses mais la composition en acides gras de type oméga-9 (mono-insaturé, bénéfique pour le système cardio-vasculaire) est équivalente.*

La noix de pécan est riche en manganèse aux propriétés antioxydantes.

## OIGNON*

**46 kcal/100g**

*L'oignon est un légume du printemps et de l'été.*

### CARTE D'IDENTITÉ

Fibres (solubles et insolubles), Glucides, Lipides (peu), Protides ;

**Substances minérales et oligo-éléments** : calcium, chlore, cobalt, fer, fluor, magnésium, molybdène, manganèse, phosphore, potassium, sélénium, sodium, soufre, cuivre, zinc.

**Vitamines** : B1 – B2 – B3 ou PP – B5 - B6 – B9 - C – E.

**Autres substances notables** : Acides organiques, Allicine qui se transforme en partie en acide propényl-sulfinique (qui fait pleurer), Caroténoïdes, Enzymes de phase 2, Flavonoïdes (type quercétine et anthocyanes), Indoles, Polyphénols.

## INTÉRÊT NUTRITIONNEL

- Le cobalt joue un rôle contre l'anémie.
- Le fluor joue un rôle dans la prévention des caries dentaires.
- Le sélénium (l'oignon est l'un des végétaux les plus riches en sélénium), le zinc, la vitamine E, la vitamine C, les caroténoïdes, les flavonoïdes (tous antioxydants) ont tous un rôle démontré sur la prévention et le traitement des maladies cardio-vasculaires.
- Le soufre a une action anti-infectieuse et antirhumatismale.
- Les enzymes de phase 2 ont une action favorable sur le cancer.
- Les fibres lorsqu'elles chauffent se transforment en un revêtement gélatineux (mucilage) qui est discrètement laxatif.
- Les flavonoïdes ont une action fluidifiante sur le sang et évitent la formation de caillots.
- Les fructosanes (glucides contenus dans l'oignon) ainsi que le rapport entre le potassium et le sodium seraient responsables de l'effet diurétique de cet aliment.
- Les minéraux qu'il renferme permettent d'alcaliniser le sang c'est à dire de réduire son acidité ce qui diminue la déminéralisation osseuse.
- Malgré son goût sucré l'oignon diminue les taux de glucose dans le sang du fait de ses composés soufrés.

Ainsi l'oignon est particulièrement destiné aux personnes souffrant :

- cancer ;
- constipation (oignon cuit) ;

- d'anémie ;
- d'excès de poids ;
- d'infection à répétition ;
- de caries dentaires ;
- de déminéralisation osseuse ;
- de maladies cardio-vasculaires ;
- de maladies métaboliques et notamment le diabète ;
- rétention d'eau.

### CONSOMMATION

Pour ne pas pleurer en épluchant les oignons on peut le faire sous l'eau du robinet, ou bien on les met pendant 10 minutes avant, au congélateur, ou encore 1 heure au réfrigérateur.

*Cru* : il se consomme dans toutes les salades.

*Cuit* : l'oignon est digeste et peut accompagner bien des mets : viandes, pissaladière....

## OLIVE*

**Olives vertes : 123 kcal/100g ;**

**Olives noires : 360 kcal/100g ;**

**Huile d'olive : 900 kcal/100g.**

*L'olive verte est un fruit qui n'est pas arrivé encore à maturité. Lorsque cela sera, elle sera devenue noire.*

*L'olive verte est moins calorique mais aussi moins riche en micronutriments.*

### CARTE D'IDENTITÉ

Glucides, Lipides, Protides.

**Substances minérales et oligo-éléments** : Potassium, Calcium, Chlore, Sodium, Magnésium, Fer.

**Vitamines** : A – E.

**Autres substances** : Acides gras mono-insaturés de type oméga-9, oméga-6 et un peu oméga-3, Polyphénols.

### INTÉRÊT NUTRITIONNEL

L'olive est la meilleure source d'oméga-9 et une bonne source d'oméga-3. Alliée à la vitamine E et aux polyphénols aux propriétés antioxydantes, elle sont utiles dans les cas suivants :

- Antécédents de caillots sanguins (oméga-6, vitamine E, polyphénols) ;
- Cancer notamment prostate (oméga-9, vitamine E, polyphénols) ;
- Infections (oméga-6, polyphénols) ;
- Maladies cardio-vasculaires (oméga-9, vitamine E, polyphénols) ;
- Rhumatismes (oméga-6, polyphénols).

### CONSOMMATION

L'olive se consomme bien évidemment aussi sous forme d'huile consacrée par le régime méditerranéen.

## ORANGE*

**40 kcal/100g (jus d'orange : 42 kcal/100g)**

*L'orange est un fruit de l'hiver. Le terme « orange » vient de l'arabe narandj, lui-même emprunté au sanscrit nagaranga, dont le sens est « fruit aimé des éléphants ». Ces fruits parvenaient dans le Nord par la ville d'Orange.*

### CARTE D'IDENTITÉ

Fibres alimentaires (solubles et insolubles), Glucides, Lipides (dans les pépins), Protides (peu).

**Substances minérales et oligo-éléments** : Potassium, Calcium, Phosphore, Magnésium, Chlore, Sodium, Fer, Zinc, Cuivre, Manganèse, Nickel, Fluor, Iode.

**Vitamines** : C – Bêta-carotène – B1 – B2 – B3 ou PP – B5 – B6 –B8 – B9 – E.

**Autres substances** : Acides organiques, Caroténoïdes (xanthophylles, bêta-cryptoxanthine…), Flavonoïdes (citroflavonoïdes notamment et anthocyanes pour les sanguines), Triterpènes.

### INTÉRÊT NUTRITIONNEL

L'orange est un feu d'artifice de substances aux vertus bénéfiques pour la santé. Elle contient :

- de nombreux antioxydants (principalement la vitamine C, mais aussi E, Zinc, Cuivre, Manganèse, Bêta-carotène, des flavonoïdes comme les anthocyanes dans les oranges sanguines) ;
- de la vitamine B1 et B9 ;
- des caroténoïdes actifs sur la peau et la rétine de l'œil ;
- des fibres solubles et insolubles ;
- les minéraux comme le calcium, le phosphore, le magnésium mais aussi les oligo-éléments.

Ainsi l'orange est indiquée dans les cas suivants :

- Allaitement (vitamine B9, calcium) ;
- Allaitement (vitamine C, calcium) ;
- Anémie (vitamine C, B9, fer) ;

- Calculs rénaux (acides organiques) ;
- Cancer (vitamine C, E, zinc, manganèse, cuivre, Bêta-carotène, flavonoïdes, anthocyanes, calcium, triterpènes, fibres) ;
- Contexte chirurgical (vitamine C, B1, B5) ;
- Contraception orale (vitamine C, B1, B2, B6, B9, E, Bêta-carotène, magnésium et le zinc) ;
- Crampes (potassium, calcium) ;
- Crises de tétanie ou de spasmophilie (calcium, magnésium, phosphore) ;
- Déminéralisation osseuse (calcium, phosphore, potassium, acides organiques) ;
- Dépression (vitamine B9, magnésium) ;
- Fatigue (potassium) ;
- Grossesse (vitamine C, B1, B9, calcium, fer) ;
- Infections à répétition (vitamine C, B1, anthocyanes, magnésium) ;
- Les grands consommateurs d'alcool (vitamine B1, B9) ;
- Maladies cardio-vasculaires (vitamine C, E, zinc, manganèse, cuivre, Bêta-carotène, flavonoïdes, potassium) ;
- Maladies métaboliques (vitamine C, E, B1, zinc, manganèse, cuivre, Bêta-carotène, citroflavonoïdes, fibres solubles, anthocyanes) ;
- Prévention du vieillissement (vitamine C, E, zinc, manganèse, cuivre, Bêta-carotène, flavonoïdes) ;
- Problèmes de fertilité (vitamine C, E, zinc) ;
- Problèmes veineux (anthocyanes) ;
- Sports (vitamine C, B1, magnésium, potassium) ;
- Stress, angoisses (magnésium) ;

- Tabagisme (vitamine C, B9) ;
- Troubles de la gencive comme la gingivite et la parodontose (vitamine B9) ;
- Troubles de la mémoire et de la concentration (vitamine B1, B9) ;
- Vue (vitamine C, caroténoïdes).

### CONSOMMATION

Attention à la peau, truffée d'insecticides et autres pesticides. Si autrefois il était d'usage de mettre dans les pâtisseries la peau râpée pour donner un petit goût acidulé, cet usage est aujourd'hui déconseillé.

## OSEILLE

**25 kcal/100g**

*L'oseille est un légume-feuille qui se consomme en été et en automne.*

### CARTE D'IDENTITÉ

Fibres alimentaires (surtout insolubles), Glucides, Protides.

**Substances minérales et oligo-éléments** : Potassium, Calcium, Sodium, Magnésium, Phosphore, Fer, Zinc, Cuivre, Manganèse, Iode.

**Vitamines** : C – Bêta-carotène – B1 – B2 – B3 ou PP – B5 – B6 – B9 – E.

**Autres substances** : Acides organiques et oxaliques, Caroténoïdes (lutéine, zéaxanthine), Chlorophylle, Flavonoïdes.

## INTÉRÊT NUTRITIONNEL

Parallèlement, elle constitue une très bonne source de vitamine C, de Bêta-carotène (autant que dans l'épinard ou le cresson) et de vitamine E.

Ainsi l'oseille est utile dans les cas suivants :

- Alcoolisme (vitamine B9, B1, E) ;
- Allaitement (vitamine C, calcium, phosphore, magnésium) ;
- Anémie (fer, vitamine B9) ;
- Cancer (flavonoïdes, vitamine C et E, Bêta-carotène, zinc, caroténoïdes) ;
- Constipation (fibres insolubles) ;
- Contexte chirurgical (vitamine C, B5, fer) ;
- Déminéralisation osseuse (calcium, potassium, phosphore) ;
- Dépression (vitamine B9, B6, magnésium) ;
- Exposition solaire (vitamine E) ;
- Grossesses (fer, vitamine B9, C, magnésium) ;
- Infections à répétition (vitamine C) ;
- Les personnes souffrant de troubles de concentration ou de mémoire (vitamine B9, B6, B1) ;
- Lors d'une contraception orale (vitamine B9, C, E) ;
- Maladies cardio-vasculaires (vitamine C, E, Bêta-carotène, caroténoïdes, zinc, sélénium, flavonoïdes) ;
- Maladies métaboliques (vitamine B3, C, E, Bêta-carotène) ;

- Prévention de la cataracte (vitamine C) ;
- Prévention du vieillissement (vitamine C, E, zinc, sélénium, flavonoïdes) ;
- Problèmes de fertilité (vitamine C, E, zinc) ;
- Rhumatismes (vitamine E, cuivre) ;
- Sports (vitamine C, E, magnésium) ;
- Tabagisme(vitamine B9, C, E).

### CONSOMMATION

L'oseille est riche en acide oxalique, attention donc en cas de calculs rénaux.

## PAPAYE*

**44 kcal/100g**

*La papaye est un fruit exotique de l'hiver et du printemps.*

### CARTE D'IDENTITÉ

Fibres alimentaires (insolubles surtout, et un peu de solubles), Glucides, Lipides (très peu), Protides (peu).

**Substances minérales et oligo-éléments** : Potassium, Phosphore, Calcium, Soufre, Magnésium, Sodium, Fer, Cuivre, Zinc, Manganèse, Molybdène.

**Vitamines** : C – Bêta-carotène – B1 – B2 – B3 ou PP – B5 – B9.

**Autres substances** : Acides organiques et autres caroténoïdes comme le lycopène, Flavonoïdes (anthocyanes, quercétine), Papaïne, Xanthophylles.

## INTÉRÊT NUTRITIONNEL

La papaye est très riche en vitamine C (plus que les agrumes et la fraise) et en caroténoïdes. Les flavonoïdes favorisent l'absorption de vitamine C et sont doués de propriétés antioxydantes et anticancéreuses.

Ainsi la papaye est indiquée dans les cas suivants :

- Anémie (fer, vitamine C, B9) ;
- Athérosclérose (vitamine C, Bêta-carotène, zinc, flavonoïdes, quercétine) ;
- Cancer (calcium, tanins) ;
- Constipation (fibres insolubles) ;
- Déminéralisation osseuse (calcium, phosphore, acides organiques, potassium) ;
- Diarrhées (anthocyanes) ;
- Grossesse (vitamine C, magnésium, fer) ;
- Hémorroïdes et troubles veineux (anthocyanes) ;
- Infections (vitamine C, magnésium, anthocyanes) ;
- Infections à répétition (vitamine C, anthocyanes, quercétine) ;
- Maladies cardio-vasculaires (vitamine C, Bêta-carotène, zinc, flavonoïdes, magnésium, calcium) ;
- Maladies métaboliques (vitamine C, B3, Bêta-carotène, zinc, anthocyanes, quercétine) ;
- Prévention du vieillissement (anthocyanes, vitamine C, Bêta-carotène, zinc, minéraux) ;
- Rhumatismes (quercétine, cuivre).

## CONSOMMATION

Pour les personnes au système digestif délicat, la papaye peut se consommer en coulis, après avoir été passée au mixer.

# PAMPLEMOUSSE*

**40 kcal/100g (jus de pamplemousse : 42 kcal/100g)**

*Le fruit que l'on mange aussi bien au petit déjeuner, en entrée ou en dessert n'est pas le pamplemousse, fruit plutôt rare en occident mais le pomelo. Pamplemousse vient du néerlandais (1665) pompel (épais), et limœs (citron) alors que pomelo vient de l'anglais via le latin pomum (pomme) melo (melon) mot introduit qu'en 1912.*

*Néanmoins pour des raisons de compréhension nous traiterons ici du pomelo en l'appelant... pamplemousse.*

*Le pamplemousse se trouve toute l'année.*

*Il peut être rose ou jaune.*

## CARTE D'IDENTITÉ

Fibres alimentaires (surtout solubles), Glucides, Lipides (dans les pépins), Protides (peu).

**Substances minérales et oligo-éléments** : Potassium, Calcium, Phosphore, Magnésium, Chlore, Sodium, Fer, Zinc, Cuivre, Manganèse, Nickel, Fluor, Iode.

**Vitamines** : C – Bêta-carotène – B1 – B2 – B3 ou PP – B5 – B6 –B8 – B9 – E.

**Autres substances** : Acides organiques, Flavonoïdes (citroflavonoïdes notamment) ;

## INTÉRÊT NUTRITIONNEL

Le pamplemousse, comme l'orange, contient de nombreuses substances bénéfiques pour la santé :

- de la vitamine B5 et à un moindre degré B9 ;
- de nombreux antioxydants (principalement la vitamine C, mais aussi E, Zinc, Cuivre, Manganèse, des flavonoïdes comme les anthocyanes dans les pamplemousse rose ou rouge) ;

- les fibres surtout solubles ;
- les minéraux comme le calcium, le phosphore, le magnésium mais aussi les oligo-éléments.

Ainsi le pamplemousse est indiqué dans les cas suivants :

- Maladies cardio-vasculaires (vitamine C, E, zinc, manganèse, cuivre, Bêta-carotène, f l avonoïdes, potassium) ;
- Sports (vitamine C, B1, magnésium, potassium) ;
- Infections à répétition (vitamine C, B1, anthocyanes, magnésium) ;
- Prévention du vieillissement (vitamine C, E, zinc, manganèse, cuivre, Bêta-carotène, flavonoïdes) ;
- Maladies métaboliques (vitamine C, E, B5, zinc, manganèse, cuivre, Bêta-carotène, citroflavonoïdes, fibres solubles, anthocyanes) ;
- Contraception orale (vitamine C, B5, B9, E, Bêta-carotène, magnésium et le zinc) ;
- Tabagisme (vitamine C, B9) ;
- Problèmes de fertilité (vitamine C, E, zinc) ;
- Contexte chirurgical (vitamine C, B1, B5) ;
- Grossesse (vitamine C, B5, B9, calcium, fer) ;
- Vue (vitamine C) ;
- Allaitement (vitamine C, B5, calcium) ;
- Déminéralisation osseuse (calcium, phosphore, potassium, acides organiques) ;
- Calculs rénaux (acides organiques)
- Problèmes veineux (anthocyanes) ;
- Allaitement (vitamine B9, calcium) ;
- Crises de tétanie ou de spasmophilie (calcium, magnésium, phosphore) ;
- Cancer (vitamine C, E, zinc, manganèse, cuivre, Bêta-carotène, flavonoïdes, anthocyanes, calcium).

- Fatigue (potassium) ;
- Crampes (potassium, calcium) ;
- Stress, angoisses (magnésium, vitamine B5) ;
- Opération envisagée (vitamine C, B5) ;
- Excès de cholestérol (fibres solubles, vitamine B5).

### CONSOMMATION

Se consomme également en jus.

## PASTÈQUE*

**30 kcal/100g**

*La pastèque est un cucurbitacé de l'été.*

### CARTE D'IDENTITÉ

Fibres alimentaires (surtout insolubles), Glucides, Lipides (très peu), Protides (peu).

**Substances minérales et oligo-éléments** : Potassium, Phosphore, Calcium, Magnésium, Sodium, Chlore, Fer, Cuivre, Zinc, Nickel, Manganèse, Fluor.

**Vitamines** : C – Bêta-carotène – B1 – B2 – B3 ou PP – B5 – B6 – B9 – E.

**Autres substances** : Acides organiques et autres caroténoïdes comme le lycopène, Cucurbitacines, Flavonoïdes, Xanthophylles.

## INTÉRÊT NUTRITIONNEL

La pastèque est très riche en eau, elle apporte de la vitamine C, des caroténoïdes et des cucurbitacines aux propriétés antioxydantes et anticancéreuses.

Ainsi les pastèques sont indiquées dans les cas suivants :

- Anémie (fer, vitamine B9, C) ;
- Bronzage (Bêta-carotène) ;
- Cancer (cucurbitacines, lycopène) ;
- Cheveux gras (soufre) ;
- Déminéralisation osseuse (calcium, phosphore, potassium) ;
- Fatigue (vitamine C, fer) ;
- Maladies cardio-vasculaires (vitamine C, E, Bêta-carotène, lycopène, zinc, manganèse, potassium, cucurbitacines) ;
- Maladies métaboliques (vitamine C, E, Bêta-carotène, lycopène, zinc, manganèse, potassium, fibres solubles, cucurbitacines) ;
- Rétention d'eau (rapport entre le potassium et le sodium) ;
- Rhumatismes (curcubitacines, soufre, cuivre) ;
- Troubles du transit (fibres insolubles et solubles) ;
- Vieillissement (Bêta-carotène, vitamine C, E, zinc, manganèse).

## CONSOMMATION

La pastèque est très peu calorique, désaltère comme peu d'aliments et, grâce aux cucurbitacines notamment, nettoie l'organisme.

# PÊCHE*

**47 kcal/100g (jus de pêche : 52 kcal/100g))**

*La pêche est un fruit de l'été.*

## CARTE D'IDENTITÉ

Fibres alimentaires (solubles et insolubles), Glucides, Lipides (très peu), Protides (peu).

**Substances minérales et oligo-éléments** : Potassium, Phosphore, Calcium, Soufre, Magnésium, Sodium, Chlore, Fer, Cuivre, Zinc, Manganèse, Fluor, Iode, Sélénium.

**Vitamines** : C – Bêta-carotène (taux supérieurs dans les pêches jaunes) – B1 – B2 – B3 ou PP – B5 – B6 – B9 – E.

**Autres substances** : Acides organiques et autres caroténoïdes comme le lycopène, Flavonoïdes (anthocyanes, quercétine), Xanthophylles.

## INTÉRÊT NUTRITIONNEL

Les vitamines et les minéraux de la pêche sont présents quantitativement et qualitativement. Les flavonoïdes favorisent l'absorption de vitamine C et sont dotés de propriétés antioxydantes et anticancéreuses.

Ainsi la pêche est indiquée dans les cas suivants :

- Anémie (fer, vitamine C, B9) ;
- Athérosclérose (vitamine C, Bêta-carotène, zinc, flavonoïdes, quercétine) ;
- Cancer (calcium, tanins) ;
- Constipation (fibres insolubles) ;
- Déminéralisation osseuse (calcium, phosphore, acides organiques, potassium) ;

- Diarrhées (anthocyanes) ;
- Grossesse (vitamine C, magnésium, fer) ;
- Hémorroïdes et troubles veineux (anthocyanes) ;
- Infections (vitamine C, magnésium, anthocyanes) ;
- Infections à répétition (vitamine C, anthocyanes, quercétine) ;
- Maladies cardio-vasculaires (vitamine C, Bêta-carotène, zinc, flavonoïdes, magnésium, calcium) ;
- Maladies métaboliques (vitamine C, B3, Bêta-carotène, zinc, anthocyanes, quercétine, fibres solubles) ;
- Prévention du vieillissement (anthocyanes, vitamine C, Bêta-carotène, zinc, minéraux) ;
- Rhumatismes (quercétine, cuivre).

### CONSOMMATION

Pour avoir une peau… de pêche : la vitamine B3 ou PP et le Bêta-carotène sont des vitamines de la pêche qui ont une action bénéfique sur la santé de la peau. Les variétés de pêche à chair jaune sont toutefois plus riches que les blanches en Bêta-carotène (provitamine A).

## PERSIL*

**0 kca/100g**

*Le persil se consomme toute l'année.*

### CARTE D'IDENTITÉ

Fibres alimentaires (insolubles), Glucides, Lipides (très peu), Protides.

**Substances minérales et oligo-éléments** : Potassium, Calcium, Sodium, Magnésium, Phosphore, Chlore, Fer, Zinc, Cuivre, Manganèse, Nickel, Bore, Fluor, Cobalt, Chrome, Iode, Sélénium.

**Vitamines** : C – Bêta-carotène – B1 – B2 – B3 ou PP – B5 – B6 – B9 – E.

**Autres substances** : Caroténoïdes (lutéine), Flavonoïdes (quercétine, apigénine, catéchine...).

## INTÉRÊT NUTRITIONNEL

Le persil possède de nombreux taux records : en vitamine C, en minéraux (manganèse, chrome notamment), en Bêta-carotène (seul le pissenlit fait mieux dans ce domaine) et en vitamines B2, B3 et B9.

Ainsi le persil est utile dans les cas suivants :

- Alcoolisme(vitamine B9, B1, E) ;
- Allaitement (vitamine B2, C, calcium, phosphore, magnésium) ;
- Anémie (fer, vitamine B9) ;
- Cancer (flavonoïdes, vitamine C et E, Bêta-carotène, zinc) ;
- Constipation (fibres insolubles) ;
- Contexte chirurgical (vitamine C, B5, fer) ;
- Déminéralisation osseuse (calcium, potassium, phosphore) ;
- Dépression (vitamine B9, B6, magnésium) ;
- Exposition solaire (vitamine E) ;
- Grossesses (fer, vitamine B2, B3, B9, C, magnésium) ;
- Infections à répétition (vitamine C, terpènes) ;
- Lors d'une contraception orale (vitamine B2, B9, C, E) ;
- Maladies cardio-vasculaires (vitamine C, E, Bêta-carotène, caroténoïdes, zinc, sélénium, flavonoïdes) ;

- Maladies métaboliques (vitamine B3, C, E, Bêta-carotène) ;
- Prévention de la cataracte (vitamine C) ;
- Problèmes de fertilité (vitamine C, E, zinc) ;
- Rhumatismes (vitamine E, cuivre) ;
- Sport (vitamine C, E, magnésium) ;
- Tabagisme (vitamine B9, C, E) ;
- Troubles de concentration ou de mémoire (vitamine B9, B6, B1) ;
- Vieillissement (vitamine C, E, zinc, sélénium, flavonoïdes).

### CONSOMMATION

Une dose minimale de persil doit être consommée pour bénéficier de ses miconutriments. On peut l'utiliser en légume ou en soupe afin d'augmenter les proportions.

## PETIT POIS*

**70 kcal/100g**

*Les petits pois sont des légumineuses du printemps et de l'été dont on consomme les graines encore immatures (et parfois la cosse, dans le cas de petits pois «mange-tout»).*

### CARTE D'IDENTITÉ

Fibres alimentaires (solubles et insolubles), Glucides, Lipides (peu), Protides.

**Substances minérales et oligo-éléments** : Potassium, Calcium, Soufre, Phosphore, Magnésium, Chlore, Sodium, Fer, Cuivre, Zinc, Manganèse, Nickel, Fluor.

**Vitamines** : C – Bêta-carotène – B1 – B2 – B3 ou PP – B5 – B6 – B8 B9 – E.

**Autres substances** : Inositol, Lutéine, Polyphénols, Saponines.

## INTÉRÊT NUTRITIONNEL

Les petits pois renferment des fibres solubles et insolubles ayant un effet bénéfique sur le transit, sur la flore intestinale et sur les taux de sucre et de cholestérol sanguin. Ce dernier effet est renforcé par la présence de saponines qui forment des savons avec l'eau. Par ailleurs ils sont riches en composé antioxydants (vitamine C, E, Bêta-carotène, zinc, sélénium, polyphénols, inositol). L'inositol vient renforcer l'effet antioxydant et aurait un rôle anticancéreux tout en diminuant le cholestérol sanguin. Les vitamines du groupe B (exceptée la vitamine B12 absente de tous les végétaux) sont 2 à 5 fois plus abondantes que dans les autres légumes frais.

Ainsi les petits pois intéressent les personnes présentant les pathologies suivantes :

- Alcoolisme (vitamines du groupe B) ;
- Anémie (fer et vitamine B9) ;
- Constipation (fibres insolubles et solubles) ;
- Déminéralisation osseuse (phosphore, calcium, potassium) ;
- Excès de cholestérol ou de sucre (fibres solubles, vitamine B3, B5, inositol, saponines) ;
- Infections (vitamine C, cuivre, soufre) ;
- Maladies cardio-vasculaires (vitamine C, E, Bêta-carotène, zinc, sélénium, polyphénols) ;
- Rétention d'eau (bon rapport entre potassium et sodium) ;
- Troubles de la mémoire (vitamines B1) ;

- Troubles de la vue (lutéine) ;
- Troubles du transit (fibres) ;
- Troubles métaboliques (vitamine C, E, Bêta-carotène, zinc, sélénium, polyphénols, vitamine B3, B5) ;
- Vieillissement (minéraux et antioxydants).

### CONSOMMATION

La longévité semble aller de paire avec la consommation de légumineuses.

## PISSENLIT*

**48 kcal/100g**

*Le pissenlit doit son appellation à ses propriétés diurétiques («pisse-en-lit»), reconnues depuis longtemps. On le trouve au printemps et en été. Son amertume marquée le rend efficace pour le bon fonctionnement de la vésicule biliaire, et lui confère une action dépurative (nettoyage de l'organisme).*

### CARTE D'IDENTITÉ

Fibres alimentaires (surtout insolubles), Glucides, Lipides (traces), Protides (peu).

**Substances minérales et oligo-éléments** : Potassium, Phosphore, Magnésium, Calcium, Sodium, Fer, Cuivre, Zinc, Manganèse.

**Vitamines** : C – Bêta-carotène - B1 – B2 – B3 ou PP – B5 – B6 – B8 – B9 – E – K.

**Autres substances** : Caroténoïdes et Flavonoïdes.

## INTÉRÊT NUTRITIONNEL

Le pissenlit est riche en minéraux avec un rapport très favorable entre le potassium et le sodium d'où des propriétés diurétiques (contre la rétention d'eau). Le Bêta-carotène y est abondant.

Le pissenlit s'adresse aux cas suivants :

- Alcoolisme(vitamines du groupe B) ;
- Allaitement (vitamine B9) ;
- Anémie (vitamine B9, fer) ;
- Cancer (Bêta-carotène, fibres) ;
- Constipation (fibres) ;
- Contraception orale (pilule) (minéraux et vitamines) ;
- Déminéralisation osseuse (potassium ayant un effet alcalinisant) ;
- Dépression (vitamine B9, B6, magnésium) ;
- Grossesse (vitamine B9, K) ;
- Maladies cardio-vasculaires (vitamine C, zinc, potassium, curcubitacines, Bêta-carotène) ;
- Rétention d'eau (rapport favorable entre potassium et sodium) ;
- Rhumatismes (cuivre) ;
- Tabagisme (antioxydants) ;
- Troubles de concentration ou de mémoire (vitamine B9, B6, Magnésium) ;
- Troubles de la vue (caroténoïdes) ;
- Troubles digestifs (fibres solubles) ;
- Troubles métaboliques (fibres solubles qui diminuent les taux de cholestérol et de sucres dans le sang et faible valeur calorique) ;
- Vieillissement (antioxydants).

## CONSOMMATION

Se consomme en salade.

# POIRE

**61 kcal/100g (jus de poire : 60 kcal/100g)**

*La poire est un fruit de l'été, de l'automne et de l'hiver.*

## CARTE D'IDENTITÉ

Fibres alimentaires, Glucides, Lipides, Protides.

**Substances minérales et oligo-éléments** : Potassium, Phosphore, Calcium, Magnésium, Sodium, Chlore, Bore, Fer, Cuivre, Zinc, Manganèse, Nickel, Cobalt, Fluor.

**Vitamines** : C – Bêta-carotène – B1 – B2 – B3 ou PP – B5 – B6 – B9 – E.

**Autres substances** : Acide alpha-linolénique (oméga-3), Acide linoléique (oméga-6), Acides organiques, Flavonoïdes.

## INTÉRÊT NUTRITIONNEL

Les éléments bénéfiques de la poire se retrouvent dans les fibres insolubles, la grande richesse en eau qui désaltère (ne faut-il pas garder en somme une poire pour la soif ?). Les acides gras oméga-3 et oméga-6 sont en trop petite quantité pour en tenir compte. Les vitamines et les minéraux sont bien répartis sans que la poire se distingue particulièrement par l'un de ces composants. En revanche la pelure de poire est très riche en flavonoïdes aux propriétés antioxydantes.

Ainsi la poire est utile dans les cas suivants :

- Cancer (flavonoïdes, vitamine C) ;
- Constipation (fibres insolubles) ;
- Déminéralisation osseuse (potassium) ;
- Maladies cardio-vasculaires (vitamine C, E, zinc, manganèse, potassium, magnésium, flavonoïdes) ;
- Maladies métaboliques (vitamine C, B3, B6, E) ;
- Sport (glucides, antioxydants et eau après l'effort).

### CONSOMMATION

La poire est un fruit désaltérant dont les propriétés augmentent si on la consomme avec sa peau (bien laver auparavant afin d'enlever les traces de pesticides, insecticides et autres produits chimiques).

## POIREAU*

**42 kcal/100g**

*Le poireau se consomme à l'automne et en hiver.*

*Il est l'emblème protecteur du pays de Galle depuis le jour où Saint David (VI^e siècle) aurait ordonné à des soldats de le porter en signe de reconnaissance pour combattre les Saxons.*

### CARTE D'IDENTITÉ

Fibres (solubles et insolubles), Glucides, Lipides (peu), Protides.

**Substances minérales et oligo-éléments** : Potassium, Phosphore, Calcium, Magnésium, Soufre, Sodium, Chlore, Bore, Fer, Cuivre, Zinc, Manganèse, Iode et Sélénium.

**Vitamines** : C – Bêta-carotène – B1 – B2 – B3 ou PP – B5 – B6 – B9 – E.

**Autres substances** : Allicine, Enzymes de phase 2, Flavonoïdes (type quercétine).

## INTÉRÊT NUTRITIONNEL

Comme l'ail et l'oignon, le poireau appartient à la famille des organosulfurés. Toutefois sa partie blanche et sa partie verte doivent être distinguées.

La partie verte est riche en vitamines C et en Bêta-carotène aux propriétés antioxydantes. Cet effet est majoré par la présence de manganèse en grande quantité et par celle des flavonoïdes. La partie verte contient aussi des fibres insolubles qui luttent contre la constipation.

La partie blanche est plus riche en glucides (plus particulièrement le frutosane) et en fibres solubles entraînant les effets suivants :

- diurétique (favorise l'élimination de l'eau) ;
- formation d'un mucilage dans l'intestin aux propriétés laxatives (les fibres en chauffant donne son mœlleux au blanc) ;
- maintient de la qualité de la flore microbienne en jouant le rôle de prébiotiques ;
- propriétés anticancéreuses dues aux enzymes de phase 2 ;

Les vitamines du groupe B et la vitamine E, les minéraux et les oligo-éléments sont à peu près également réparties dans le vert et dans le blanc du poireau.

- La grande richesse de minéraux le rendent alcalinisant et limitent la déminéralisation osseuse.
- Le fer lutte contre l'anémie, la fatigue physique et nerveuse ;
- Le soufre (présent sous forme minérale et d'allicine mais moins abondamment que dans l'ail) qui est à l'origine de l'odeur caractéristique du poireau lui confère des propriétés anti-infectieuses.

En conséquence de ses propriétés, le poireau est indiqué dans les cas suivant :

- Cancer (allicine, enzymes de phase 2) ;
- Chute de cheveux (soufre et vitamine B5) ;
- Constipation ou troubles digestifs (fibres et prébiotiques) ;
- Déminéralisation osseuse (minéraux alcalinisants) ;
- Fatigue ou anémie (fer et vitamine C) ;
- Grossesse (fer et vitamine B9) ;
- Infections (soufre, allicine, vitamine C) ;
- Maladies cardio-vasculaires (antioxydants) ;
- Rétention d'eau (fructosane et minéraux avec un rapport entre le potassium et le sodium très favorable) ;
- Troubles métaboliques comme le cholestérol, le diabète ou l'obésité (fibres, vitamine B3, allicine, faible valeur calorique).

## CONSOMMATION

Le poireau est l'un des aliments les plus riches en oxalates qui sont connus pour former des cristaux notamment dans les reins dans la vésicule biliaire. Les personnes naturellement sujettes à fabriquer ces calculs doivent en limiter la consommation.

Par ailleurs une cuisson à découvert permet de réduire les composés volatils soufrés et d'en réduire le goût un peu désagréable pour certains.

# POIS CHICHES*

360 kcal/100g

*Le pois chiche est une légumineuse probablement originaire du Moyen Orient, les premiers signes d'utilisation remontent à plus de 7 000 ans.*

## CARTE D'IDENTITÉ

Fibres alimentaires (solubles et insolubles), Glucides, Lipides, Protides.

**Substances minérales et oligo-éléments** : Potassium, Calcium, Soufre, Phosphore, Magnésium, Chlore, Sodium, Bore, Fer, Cuivre, Zinc, Manganèse, Nickel, Fluor, Sélénium.

**Vitamines** : C – Bêta-carotène – B1 – B2 – B3 ou PP – B5 – B6 – B8 – B9 – E – K.

**Autres substances** : Amylose, Anthocyanes, Inhibiteurs d'amylases, Inhibiteur de protéases, Inositol, Lectines, Phytostérols, Polyphénols, Saponines.

## INTÉRÊT NUTRITIONNEL

Les pois chiches renferment des fibres solubles et insolubles ayant un effet bénéfique sur le transit, sur la flore intestinale et sur les taux de sucre et de cholestérol sanguin. Ce dernier effet est renforcé par la présence de saponines qui forment des savons avec l'eau et par celle d'amylose.

Par ailleurs cette légumineuse est riche en composé antioxydants augmenté par l'inositol qui aurait un rôle anticancéreux tout en diminuant le cholestérol sanguin. Les phytostérols, l'amylose, les inhibiteurs d'amylase et de protéases renforcent l'action sur les troubles métaboliques tandis que les lectines et les polyphénols renforcent l'action anticancéreuse.

Le pois chiche est riche vitamine B1 à l'action bénéfique sur la mémoire et la libération d'énergie.

Ainsi les pois chiches intéressent les personnes atteintes des pathologies suivantes :

- Anémie (fer et vitamine B9) ;
- Cancer (inositol, lectines, polyphénols) ;
- Constipation (fibres insolubles et solubles) ;
- Déminéralisation osseuse (phosphore, calcium, potassium) ;
- Excès de cholestérol ou de sucre (fibres solubles, vitamine B3, B5, inositol, saponines, phytostérols, inhibiteurs d'amylase et de protéases, amylose) ;
- Infections (vitamine C, cuivre, soufre, anthocyanes) ;
- Maladies cardio-vasculaires (vitamine C, E, Bêta-carotène, zinc, sélénium, polyphénols) ;
- Rétention d'eau (bon rapport entre potassium et sodium) ;
- Troubles du transit et diarrhées (fibres, anthocyanes) ;
- Troubles métaboliques (vitamine C, E, Bêta-carotène, zinc, sélénium, polyphénols, vitamine B3, B5, phytostérols, inhibiteurs d'amylase et de protéases, amylose, anthocyanes) ;
- Troubles veineux (anthocyanes).

## CONSOMMATION

Une étude récente (2004) montre que la longévité et la consommation de légumineuses sont liées.

# POISSON GRAS

**De 150 à 225 kcal/100g**

*Les poissons gras sont plus caloriques mais leur composition les rend plus bénéfiques pour la santé.*

## CARTE D'IDENTITÉ

Glucides, Lipides, Protides.

**Substances minérales et oligo-éléments** : Phosphore, Potassium, Sodium, Calcium, Magnésium, Sélénium.

Fer, Zinc Cuivre, Manganèse, Iode.

**Vitamines** : A – B2 - B3 ou PP – B6 – B9 – B12 – D (traces) – E – K (traces).

**Autres substances** : Acides gras oméga-3 (DHA et EPA), oméga-6 et mono-insaturés oméga-9, Coenzyme Q10.

## INTÉRÊT NUTRITIONNEL

L'intérêt des poissons gras réside dans leur richesse en sélénium et en acides gras de la familles oméga-3, le premier étant un antioxydant puissant et le second un protecteur pour le cœur et les membranes cellulaires.

D'une manière générale les poissons contiennent également du fer, de la vitamine B3, et B12 absente du monde végétal, des minéraux tels que le zinc, le magnésium et l'iode participant en cela aux grandes fonctions de la vie.

Ainsi les poissons gras sont indiqués dans les cas suivants :

- Adolescents (fer) ;
- Alcoolisme(vitamines B) ;
- Allaitement (vitamine B12, B9, fer) ;

- Allergies (oméga-3) ;
- Anémie (fer, vitamine B6, B9, B12) ;
- Cancer (sélénium, zinc, oméga-3) ;
- Crises de spasmophilie (ou de tétanie) (magnésium, calcium, phosphore, vitamine B6, B3) ;
- Grossesse (fer, oméga-3, vitamine B12) ;
- Infections à répétition (sélénium, magnésium, oméga-3) ;
- Maladies auto-immunes (anticorps contre soi-même) (oméga-3) ;
- Maladies cardio-vasculaires en général (sélénium, zinc, manganèse, oméga-3, vitamine E, B3) ;
- Maladies métaboliques en général diabète, cholestérol, triglycérides, obésité (Vitamine B3, oméga-3) ;
- Myoclonies (contractions involontaires de certains muscles comme ceux de la paupière de l'œil) (magnésium) ;
- Palpitations cardiaques (magnésium, calcium) ;
- Prévention du vieillissement (oméga-3, sélénium, zinc) ;
- Prévention du vieillissement (oméga-3, zinc, sélénium) ;
- Prévention du vieillissement (vitamine B12, sélénium, zinc) ;
- Rhumatismes (oméga-3, cuivre) ;
- Stress, angoisses (vitamine B3, B6, magnésium) ;
- Suites d'opération chirurgicale (Vitamine A, sélénium, zinc) ;
- Toubles gastro-intestinaux (vitamine B12) ;
- Troubles mineurs du fonctionnement de la thyroïde lorsqu'il est nécessaire de la stimuler (iode).

Les principaux poissons gras parmi lesquls on trouve :

l'anguille, l'anchois, le hareng, le maquereau, le saumon, le truite, le thon, le pilchard, la sardine, sont de bonnes sources de vitamines A et D.

Les taux d'oméga-3 varient selon que le poisson a consommé ou non du plancton. Ainsi, le saumon d'élevage, qui en mange peu, contient cinq à dix fois moins de ces acides gras que le saumon sauvage. La teneur en acides gras oméga-3 évolue aussi selon le cycle reproductif : le hareng contient 5 % de graisses de février à avril et 20 % de juillet à octobre.

### CONSOMMATION

Il vaut mieux limiter les gros prédateurs océaniques comme le thon, l'espadon, le marlin, l'espadon, le requin et les poissons à croissance lente comme le flétan car ils concentrent les métaux lourds comme le mercure.

Les poissons maigres comme : morue, sole, carrelet, perche, brochet, lieu ont une chair surtout constituée de muscles et leur principal intérêt concerne leurs protéines sans pour autant mériter de figurer parmi les aliments santé.

## POIVRON*

22 kcal/100g

*Le poivron est un légume de l'été et de l'automne. On distingue le poivron vert encore immature et le rouge plus mûr.*

*Le terme « poivron » est apparu dans la langue française en 1785. Lorsque le médecin de Christophe Colomb découvrira les petites baies rouges d'une variété de piment, il croira qu'il s'agit de poivre rouge et que l'équipage est enfin parvenu aux Indes.*

### CARTE D'IDENTITÉ

Fibres alimentaires (insolubles), Glucides, Lipides (très peu), Protides.

**Substances minérales et oligo-éléments** : Potassium, Calcium, Sodium, Magnésium, Phosphore, Chlore, Fer, Zinc, Cuivre, Manganèse.

**Vitamines** : C – Bêta-carotène – B1 – B2 – B3 ou PP – B5 – B6 – B9 – E.

**Autres substances** : Acides organiques, Capsaïcine (substance de saveur brûlante, capable d'exciter les sécrétions digestives, et irritante pour les muqueuses [voir ce terme en deuxième partie de l'ouvrage]), Caroténoïdes (lutéine, xanthophylles), Flavonoïdes (quercétine, apigénine, catéchine…).

## INTÉRÊT NUTRITIONNEL

Le poivron est plus riche encore en vitamine C que l'épinard et le chou, il vient juste après le persil. Il est riche également en minéraux, en Bêta-carotène et autres caroténoïdes.

Ainsi le poivron est utile dans les cas suivants :

- Alcoolisme(vitamine B9, B1, E) ;
- Allaitement (vitamine B2, C, calcium, phosphore, magnésium) ;
- Anémie (fer, vitamine B9) ;
- Cancer (flavonoïdes, vitamine C et E, Bêta-carotène, zinc, caroténoïdes) ;
- Constipation (fibres insolubles) ;
- Contexte chirurgical (vitamine C, B5, fer) ;
- Déminéralisation osseuse (calcium, potassium, phosphore) ;
- Dépression (vitamine B9, B6, magnésium) ;
- Exposition solaire (vitamine E) ;
- Grossesses (fer, vitamine B2, B3, B9, C, magnésium) ;
- Infections à répétition (vitamine C, terpènes) ;
- Les personnes souffrant de troubles de concentration ou de mémoire (vitamine B9, B6, B1) ;

- Lors d'une contraception orale (vitamine B2, B9, C, E) ;
- Maladies cardio-vasculaires (vitamine C, E, Bêta-carotène, caroténoïdes, zinc, sélénium, flavonoïdes) ;
- Maladies métaboliques (vitamine B3, C, E, Bêta-carotène) ;
- Prévention de la cataracte (vitamine C) ;
- Prévention du vieillissement (vitamine C, E, zinc, sélénium, flavonoïdes) ;
- Problèmes de fertilité (vitamine C, E, zinc) ;
- Rhumatismes (vitamine E, cuivre) ;
- Sports (vitamine C, E, magnésium) ;
- Tabagisme( vitamine B9, C, E) ;
- Troubles de la vue (caroténoïdes) ;
- Vieillissement (vitamines B9, C, fer).

### CONSOMMATION

Pour ôter facilement la peau, les faire griller au four puis les mettre dans un sac plastique bien fermé, la peau s'enlève ensuite très facilement. On peut également les plonger 1 minute dans l'eau bouillante.

## POMME*

**52 kcal/100g (jus de pomme : 47 kcal/100g)**

*La pomme est théoriquement un fruit de l'automne et de l'hiver mais on peut en trouver toute l'année.*

An apple a day keeps the doctor away *(une pomme par jour éloigne le docteur pour toujours...).*

## CARTE D'IDENTITÉ

Fibres alimentaires (solubles et insolubles), Glucides, Lipides, Protides.

**Substances minérales et oligo-éléments** : Potassium, Phosphore, Calcium, Magnésium, Sodium, Fer, Cuivre, Zinc, Manganèse, Sélénium.

**Vitamines** : C – Bêta-carotène – B1 – B2 – B3 ou PP – B5 – B6 – B9 – E.

**Autres substances** : Acide chlorogénique (antioxydant), Acides organiques, Acides phénoliques, Flavonoïdes (quercétine, catéchine, phloridizine, procyanidines).

## INTÉRÊT NUTRITIONNEL

La pomme est très riche en antioxydants (Zinc, Sélénium, Manganèse, vitamine C, E, Bêta-carotène, acides phénoliques et flavonoïdes). Elle possède aussi une extrême variété de vitamine et de minéraux qui en font le fruit étalon (si l'on peut dire). Ses fibres solubles et insolubles lui confère des propriétés facilitant le transit intestinal mais se révèlent parfois un peu irritantes. De ce fait la pomme est indiquée dans les cas suivants :

- Cancer du poumon (quercétine) ;
- Constipation (fibres) ;
- Déminéralisation osseuse (potassium, calcium, phosphore, acides organiques qui améliore l'absorption du calcium) ;
- La renommée de la pomme pour traiter l'excès de cholestérol est un peu excessive (il faudrait 8 pommes par jour pour avoir un effet véritablement probant. Cependant, il n'en demeure pas vrai que la pectine de la pomme, autrement dit ses fibres solubles, piègent le cholestérol. La vitamine B3 vient renforcer cette action dans le sang) ;

- Maladies cardio-vasculaires (Zinc, Manganèse, vitamineC, E, Bêta-carotène, acides phénoliques et flavonoïdes) ;
- Troubles métaboliques (fibres solubles, vitamine B3, B5, flavonoïdes).

### CONSOMMATION

Les pommes cuites perdent environ 30% de leur charge vitaminique. La pelure de pomme et la pulpe directement à son contact renferment la moitié des antioxydants. L'idéal est donc de consommer ce fruit avec la peau à condition toutefois que les toxiques ne l'aient pas entièrement envahi...

## POMME DE TERRE

**90 kcal/100g**

*La pomme de terre se consomme durant toute l'année.*

### CARTE D'IDENTITÉ

Fibres alimentaires (solubles et insolubles), Glucides, Lipides, Protides.

**Substances minérales et oligo-éléments** : Potassium, Phosphore, Magnésium, Calcium, Sodium, Chlore, Fer, Cuivre, Zinc, Manganèse, Nickel, Chrome.

**Vitamines** : C – B1 – B3 –B5 – B6 – B9 – E.

**Autres substances** : Inhibiteurs de protéases, Polyphénols.

### INTÉRÊT NUTRITIONNEL

La pomme de terre est riche en fibres solubles et insolubles, en potassium (effet alcalinisant) ; en vitamines B1, B6, C, mais aussi en cuivre, en magnésium, en manganèse et en chrome. Ses glucides participent également en privilégiant certaines substances à l'équilibre de l'humeur et du sommeil, surtout si la pomme de terre est consommée le soir. Les inhibiteurs de protéases provoquent un sentiment de satiété plus rapide que d'autres aliments possédant les mêmes valeurs caloriques. De ce fait, on en consommera moins.

Ainsi les pommes de terre sont recommandées dans les cas suivants :

- Alcoolisme (vitamines B1, B6) ;
- Arthrose (cuivre) ;
- Contraception orale (richesse minérale et vitaminique) ;
- Crises de spasmophilie (ou de tétanie) ;
- Déminéralisation osseuse (calcium, potassium, phosphore) ;
- Diabéte (vitamine B6) ;
- Difficultés de cicatrisation (vitamine B1, C, cuivre) ;
- Grossesses (vitamine B1, magnésium) ;
- Infections (vitamine B1, B6, C, magnésium, cuivre) ;
- Les sports (vitamine B1, B6, glucides) ;
- Maladies cardio-vasculaires (vitamine B6, C, zinc, manganèse) ;
- Maladies métaboliques (fibres solubles, vitamine C, manganèse) ;
- Maladies métaboliques (manganèse, vitamine C, zinc) ;
- Myoclonies qui sont des contractions involontaires de certains muscles comme ceux de la paupière de l'œil (magnésium) ;
- Palpitations cardiaques (vitamine B6) ;
- Prévention du vieillissement (vitamine B6, B1, C, minéraux) ;
- Rhumatismes (cuivre, manganèse) ;
- Troubles de l'humeur à type d'anxiété, de dépression, de stress (vitamine B6, magnésium, glucides) ;

- Troubles de la mémoire (vitamine B1, B6, magnésium) ;
- Troubles digestifs (fibres insolubles et solubles).

### CONSOMMATION

Les pommes de terre ne sont pas caloriques à condition d'être consommées sans beurre, ni sauce. La pelure est très riche en potassium (davantage même que la banane). Son intérêt disparaît évidemment lorsqu'il est cuisiné sous forme de chips ou de frites.

## POTIRON*

**30 kcal/100g**

*Le potiron est un légume de l'automne.*

### CARTE D'IDENTITÉ

Fibres alimentaires (surtout insolubles), Glucides, Lipides (traces), Protides (peu).

**Substances minérales et oligo-éléments** : Potassium, Phosphore, Magnésium, Calcium, Sodium, Soufre, Fer,

Cuivre, Zinc, Chrome, Manganèse, Iode.

**Vitamines** : C – Bêta-carotène - B1 – B2 – B3 ou PP – B5 – B6 – B8 – B9 – E.

**Autres substances** : Caroténoïdes pour les variétés colorées, Cucurbitacines.

### INTÉRÊT NUTRITIONNEL

Le potiron courge fait partie de la famille des cucurbitacés comme la citrouille, le concombre et le melon. Il est riche en minéraux avec un rapport très favorable entre le potassium et le sodium d'où des propriétés diurétiques (contre la rétention d'eau). Le Bêta-carotène y est abondant (le potiron vient juste après la carotte, l'épinard et le chou dans la teneur en Bêta-carotène). Enfin les cucurbitacines communs à cette famille ont des propriétés anti-cancéreuses et anti-inflammatoires. Sa consommation est donc recommandée dans les situations suivantes :

- Alcoolisme (vitamines du groupe B) ;
- Allaitement (vitamine B9) ;
- Anémie (vitamine B9, fer) ;
- Cancer (cucurbitacines, Bêta-carotène, fibres) ;
- Constipation (fibres) ;
- Contraception orale (minéraux et vitamines) ;
- Déminéralisation osseuse (potassium ayant un effet alcalinisant) ;
- Dépression (vitamine B9, B6, magnésium) ;
- Grossesse (vitamine B9) ;
- Maladies cardio-vasculaires (vitamine C, zinc, potassium, curcubitacines, Bêta-carotène) ;
- Rétention d'eau (rapport favorable entre potassium et sodium) ;
- Rhumatismes (cucurbitacines, cuivre, soufre) ;
- Tabagisme (antioxydants) ;
- Troubles de concentration ou de mémoire (vitamine B9, B6, magnésium) ;
- Troubles de la vue (caroténoïdes) ;
- Troubles digestifs (fibres solubles) ;
- Troubles métaboliques (fibres solubles qui diminuent les taux de cholestérol et de sucres dans le sang et faible valeur calorique, cucurbitacines, chrome) ;
- Vieillissement (cucurbitacines, antioxydants).

### CONSOMMATION

Facile à consommer sous forme de soupe.

## POURPIER*

**15 kcal/100g**

*Le pourpier est une salade qui fait partie intégrante du régime crétois.*

### CARTE D'IDENTITÉ

Fibres alimentaires (solubles et insolubles), Glucides (peu), Lipides, Protides.

**Substances minérales et oligo-éléments** : Potassium, Calcium, Sodium, Magnésium, Phosphore, Chlore, Fer, Zinc, Cuivre, Manganèse, Nickel, Bore, Fluor, Cobalt, Chrome, Iode, Sélénium.

**Vitamines** : C – Bêta-carotène – B1 – B2 – B3 ou PP – B5 – B6 – B9 – E – K.

**Autres substances** : Acide alpha-linolénique (oméga-3), Caroténoïdes (lutéine), Enzymes de phase 2, Flavonoïdes (quercétine, apigénine, catéchine…), Psoralène (régulateur de la mélanine prévient les taches de vieillesse, le mélanome et le lichen), Terpènes.

### INTÉRÊT NUTRITIONNEL

Le pourpier est très riche en micronutriments comme les oméga-3, la vitamine B9 contenue dans ses feuilles, le Bêta-carotène, la vitamine C, minéraux et oligo-éléments (notamment le calcium, le sodium, le fer et le magnésium). Ainsi le pourpier est conseillé dans les cas suivants :

- Alcoolisme(vitamine B9, B1, E) ;
- Allaitement (vitamine C, calcium, phosphore, magnésium) ;
- Anémie (fer, vitamine B9) ;
- Cancer (flavonoïdes, vitamine C et E, Bêta-carotène zinc, terpènes, enzymes de phase 2, oméga-3) ;
- Constipation (fibres insolubles) ;
- Contexte chirurgical (vitamine C, B5, fer) ;
- Contraception orale (vitamine B9, C, E) ;
- Déminéralisation osseuse (calcium, potassium, phosphore, Vitamine K, oméga-3) ;
- Dépression (vitamine B9, B6, magnésium) ;
- Exposition solaire (vitamine E) ;
- Grossesses (fer, vitamine B9, C, magnésium) ;
- Infections à répétition (vitamine C, terpènes) ;
- Maladies cardio-vasculaires (vitamine C, E, Bêta-carotène, caroténoïdes, zinc, sélénium, flavonoïdes, oméga-3) ;
- Maladies métaboliques (vitamine B3, C, E, Bêta-carotène, oméga-3) ;
- Prévention du vieillissement (vitamine C, E, zinc, sélénium, flavonoïdes, oméga-3) ;
- Problèmes de fertilité (vitamine C, E, zinc) ;
- Rétention d'eau (rapport entre potassium et sodium) ;
- Rhumatismes (vitamine E, cuivre, oméga-3) ;
- Sports (vitamine C, E, magnésium) ;
- Tabagisme (vitamine B9, C, E) ;
- Troubles de concentration ou de mémoire (vitamine B9, B6, B1, oméga-3) ;

- Troubles de la vue (vitamine C, caroténoïdes) ;
- Vieillissement (vitamines B9, C, K, fer, oméga-3).

### CONSOMMATION

Il faut le consommer jeune : il est alors très savoureux, avec sa consistance mœlleuse, et son goût légèrement acidulé un peu piquant (les feuilles plus grosses deviennent dures, et prennent un goût fort). C'est une salade à utiliser rapidement après l'achat car elle ne se conserve guère.

## PRUNE*

**56 kcal/100g (jus de prune : 68 kcal/100g)**

*La prune est un fruit de l'été. À partir du XVI^e siècle, différentes variétés de prunes furent créées, dont la reine-claude. Claude, première épouse de François 1^er, aimait les prunes : c'est pourquoi on baptisa ainsi la variété qui porte toujours ce nom.*

### CARTE D'IDENTITÉ

Fibres alimentaires (surtout solubles), Glucides, Lipides (très peu), Protides (très peu).

**Substances minérales et oligo-éléments** : Calcium, Chlore, Chrome, Cuivre, Fer, Fluor, Iode, Magnésium, Manganèse, Nickel, Phosphore, Potassium, Sodium, Soufre, Zinc.

**Vitamines** : C – Bêta-carotène – B1 – B2 – B3 ou PP – B5 – B6 – B9 – E.

**Autres substances** : Acides organiques, Flavonoïdes (anthocyanes comme dans les variétés violettes, quercétine), Sorbitol (vient après la framboise et la myrtille en teneur).

## INTÉRÊT NUTRITIONNEL

La prune est très riche en fibres solubles qui favorisent un bon transit intestinal ainsi qu'une réduction des taux de sucres et de graisses dans le sang. Le taux de minéraux est également remarquable. Les pigments anthocyaniques favorisent l'absorption de vitamine C. En outre ce fuit renferme des fibres solubles et insolubles.

Ainsi les prunes sont indiquées dans les cas suivants :

- Anémie (fer) ;
- Athérosclérose (vitamine C, Bêta-carotène, zinc, flavonoïdes, quercétine) ;
- Constipation (sorbitol).
- Contractions involontaires de certains muscles comme ceux de la paupière de l'œil (magnésium, calcium) ;
- Crises de spasmophilie (magnésium, phosphore, calcium) ;
- Déminéralisation osseuse (calcium, phosphore, acides organiques) ;
- Diarrhées (anthocyanes) ;
- Grossesse (vitamine C, magnésium, fer) ;
- Hémorroïdes et troubles veineux (anthocyanes) ;
- Infections (vitamine C, magnésium, anthocyanes) ;
- Infections à répétition (vitamine C, anthocyanes, quercétine) ;
- Maladies cardio-vasculaires (vitamine C, Bêta-carotène, zinc, flavonoïdes, magnésium, calcium) ;
- Maladies métaboliques (vitamine C, B3, Bêta-carotène, zinc, fibres solubles, anthocyanes, quercétine) ;
- Palpitations cardiaques (magnésium) ;
- Prévention du vieillissement (anthocyanes, vitamine C, Bêta-carotène, zinc, minéraux) ;
- Rétention d'eau (rapport favorable entre potassium et sodium)
- Rhumatismes (quercétine, cuivre) ;

- Stress, angoisses (magnésium) ;
- Troubles digestifs (fibres solubles).

#### CONSOMMATION

Une prune dure manque obligatoirement de maturité. Il faut toujours préférer les prunes recouvertes de « pruine », fine pellicule blanchâtre. Il s'agit d'un voile de cire naturelle que le fruit produit pour se protéger de la chaleur : c'est un signe de maturité et de qualité. Il faut toujours bien laver les prunes avant de les consommer.

### Pruneau

Le pruneau contient peu ou prou les mêmes composés que la prune à l'exception de ses flavonoïdes qui, selon le mode de séchages, sont soit détruits soit au contraire concentrés. Quoi qu'il en soit l'activité antioxydante du pruneau est deux à trois fois supérieure à celle de la prune du fait de la transformation de certains composés durant le séchage. Le jus de pruneau lui aussi possède une très bonne activité antioxydante. La concentration du pruneau en sorbitol en fait un excellent laxatif.

## RADIS*

**20 kcal/100g**

*Les radis roses et noirs sont des crucifères. On les trouve presque toute l'année, cependant ils sont meilleurs en saison, c'est-à-dire au printemps et au début de l'été. Plus ils sont fermes et petits, moins ils piquent. À l'inverse, plus ils vieillissent, plus ils sont mous et amers.*

*On les consomme avec la peau tout au long de l'année.*

*Les radis noirs sont plus piquants que les radis roses et à la différence de ces derniers, on les épluche, on les coupe en fines rondelles, on les fait dégorger avec du sel pour les rendre plus digestes.*

## CARTE D'IDENTITÉ

Fibres (insolubles), Glucides, Lipides, Protides.

**Substances minérales et oligo-éléments** : Calcium, Chlore, Cuivre, Fer, Iode, Magnésium, Phosphore, Potassium, Sodium, Soufre, Zinc.

**Vitamines** : A - B1 - B2 - B3 ou PP - B5 - B6 - C.

**Autres substances** : Sulforaphane

## INTÉRÊT NUTRITIONNEL

Les radis contiennent, en plus des éléments commun aux crucifère, du soufre.

Cet oligo-élément fait recommander le radis dans les cas suivants :

- De ce fait le radis noir est également conseillé dans l'ostéoporose (déminéralisation osseuse) et en prévention du vieillissement.
- Douleurs articulaires (arthrose, rhumatismes…) ;
- Eczéma ;
- Infections rhinopharyngées à répétition.
- Le radis noir est également alcalinisant ce qui signifie qu'il lutte contre l'acidité induite par les aliments à forte teneur protéinique qui acidifient le sang et favorisent la fuite du calcium ;
- Migraines ;
- Ongles et cheveux cassants.

## CONSOMMATION

Cru, en salade, en tout cas sans beurre. On peut éventuellement ajouter un peu de sel si la personne n'est pas atteinte de maladies cardio-vasculaires (hypertension artérielle, insuffisance cardiaque).

# RAISIN*

**81 kcal/100g (jus de raisin : 76 kcal/100g)**

*Le raisin est un fruit de l'été et de l'automne.*

## CARTE D'IDENTITÉ

Fibres alimentaires (solubles et insolubles), Glucides, Lipides (peu), Protides (peu).

**Substances minérales et oligo-éléments** : Calcium, Chlore, Chrome, Cobalt, Cuivre, Fer, Fluor, Magnésium, Manganèse, Nickel, Phosphore, Potassium, Sodium, Soufre, Zinc.

**Vitamines** : C – Bêta-carotène – B1 – B2 – B3 ou PP – B5 – B6 – B9 – E.

**Autres substances** : Acides organiques, Chlorophylle (raisin vert), Flavonoïdes (anthocyanes pour le raisin noir, myricétine, quercétine, catéchine…), Resvératrol.

## INTÉRÊT NUTRITIONNEL

L'intérêt nutritionnel du raisin réside dans ses flavonoïdes aux propriétés fluidifiantes, antioxydantes, anticancéreuses, dans ses vitamines (notamment C dont la quantité relativement faible est renforcée par les flavonoïdes) et sa richesse en calcium, phosphore, magnésium, ainsi que son rapport très favorable entre potassium et sodium ce qui lui confère des propriétés diurétiques.

Ainsi le raisin est conseillé dans les cas suivants :

- Allaitement (vitamine C) ;
- Anémie (fer, vitamine B9) ;
- Cancer (vitamine C, E, Bêta-carotène, catéchine, calcium pour le côlon) ;

- Contexte chirurgical (vitamine C, B5, E) ;
- Contraception orale (vitamine C) ;
- Crises de tétanie ou de spasmophilie (calcium, magnésium) ;
- Déminéralisation (calcium, phosphore, acides organiques, potassium) ;
- Diarrhées (anthocyanes) ;
- Excès de cholestérol ou de triglycérides (flavonoïdes de type anthocyanes) ;
- Grossesse (vitamine C, B9) ;
- Infections à répétition (vitamine C, anthocyanes) ;
- Maladies cardio-vasculaires (vitamine C, E, Bêta-carotène, flavonoïdes, zinc, resvératrol) ;
- Maladies métaboliques (vitamine C, E, B3, Bêta-carotène, flavonoïdes, zinc) ;
- Prévention de la cataracte (vitamine C) ;
- Prévention du vieillissement (vitamine C, E, Bêta-carotène, flavonoïdes et anthocyanes) ;
- Problèmes de fertilité (vitamine C, E, Zinc) ;
- Rétention d'eau (rapport entre potassium et sodium) ;
- Sports (vitamine C, magnésium) ;
- Tabagisme (vitamine C) ;
- Troubles du transit intestinal (fibres) ;
- Troubles veineux (anthocyanes) ;

## CONSOMMATION

Le vin, autre forme de consommation du raisin a fait la preuve de son action bénéfique liée aux composants du raisin (essentiellement les catéchine). Cependant au-delà d'un verre par repas les effets négatifs de l'alcool l'emportent sur les bénéfices.

### Raisin sec

*La forme sèche du raisin concentre les minéraux et les oligo-éléments (qui sont très variés dans ce fruit) ainsi que les fibres.*

*324 kcal/100g*

Les sportifs bénéficient là d'une réserve d'énergie dans de petits volumes qui ne l'alourdissent pas dans l'effort.

## RIZ

**Cru : 350 kcal/100g**

**Cuit : 90 kcal/100g**

*Le riz est une des rares céréales (avec le sarrazin) dont le patrimoine génétique ne se soit pas modifié.*

#### CARTE D'IDENTITÉ

Fibres alimentaires (solubles et insolubles), Glucides, Lipides sous forme d'acides gras mono-insaturés oméga-9, poly-insaturés de type oméga-6 et saturés (peu de cette dernière forme), Protides.

**Substances minérales et oligo-éléments** : Calcium, Cuivre, Fer, Magnésium, Manganèse, Phosphore, Potassium, Sélénium, Sodium, Zinc.;

**Vitamines** : B1 – B2 – B3 – B5 – B9 – E.

**Autres substances** : Bêta-sitostérol (réduit l'absorption du cholestérol sanguin, Gamma-oryzanol (antioxydant puissant, réduit les entrées et sorties de cholestérol), Phytine (diminue les calculs biliaires et rénaux), Polyphénols (ralentissent la croissances des cellules cancéreuses), Tocotriénols (variété de vitamine E anticancéreuse et régulant le cholestérol).

## INTÉRÊT NUTRITIONNEL

Le riz est une céréale à part. Encore qu'il y ait riz et riz. Les céréales ont comme intérêt nutritionnel d'apporter des sucres reconstituant les réserves énergétiques et permettant un effort prolongé. Les féculents sont en majorité composés d'amidon sous forme d'amylopectine et d'amylose. La première forme est très facilement digérée et la seconde plus difficilement ce qui a pour conséquence de n'élever que progressivement le taux de sucre dans le sang et d'être plus sain pour l'organisme. Pour cette raison on préférera les riz complets et le riz basmati, plus riches en amylose. Le riz blanc est raffiné, c'est à dire qu'il a subi un traitement destiné à supprimer les enveloppes externes (le son). Il contient bien moins de vitamines et de minéraux que le riz complet car la majorité des composants nutritionnels se trouvent dans ces enveloppes.

Le riz brun apporte du magnésium (régulateur de l'influx nerveux et de la tension artérielle), des fibres alimentaires qui régulent le transit intestinal, du sélénium et du zinc qui sont des antioxydants, et du manganèse qui renforce l'action de ces derniers.

Le riz est donc indiqué dans les cas suivants :

- Alcoolisme(vitamines B1) ;
- Allergie (manganèse) ;
- Arthrite (manganèse, sélénium, zinc, cuivre) ;
- Cancer (polyphénols) ;
- Chiffres tensionnels déstabilisés (magnésium, potassium) ;
- Crises de spasmophilie (ou de tétanie) (magnésium) ;
- Infections à répétition (magnésium, sélénium) ;
- Myoclonies (contractions involontaires de certains muscles comme ceux de la paupière de l'œil) (magnésium) ;

- Palpitations cardiaques (magnésium) ;
- Stress, angoisses (magnésium, vitamine B1, B3, B9) ;
- Troubles cardio-vasculaires (magnésium, manganèse, potassium, sélénium, zinc, béta-sitostérols, gammaoryzanol, tocotriénols) ;
- Troubles métaboliques (vitamine B3, fibres, bétasitostérols, gamma-oryzanol, tocotriénols).

Par ailleurs le riz est une céréale qui n'accepte pas les mutations génétiques. Lorsque c'est le cas le riz revient à sa forme première après quelques génération.

### CONSOMMATION

Préférer le riz brun ou le riz basmati. Le riz étuvé, cuit sous vide a gardé son enveloppe et toutes ses propriétés.

## ROMARIN*

**0 kcal/100g**

*Le romarin est une herbe provençale.*

### CARTE D'IDENTITÉ

Glucides, Lipides et de Protides à l'état de traces

**Substances minérales et oligo-éléments** : Calcium, Fer, Magnésium essentiellement mais de façon peu abondante, Potassium.

**Vitamines** : B9, C à l'état de traces.

**Autre substances** : Caroténoïdes, Chlorophylle, Flavonoïdes, Huiles essentielles, Terpènes.

### INTÉRÊT NUTRITIONNEL

La chlorophylle et le monoterpène possèdent des propriétés anti-bactériennes et facilitent la libération d'énergie par l'organisme ; les caroténoïdes et les flavonoïdes sont de puissants antioxydants.

Ainsi le romarin peut être consommé en cas de :

- Fatigue (fer, vitamine C, chlorophylle) ;
- Infection (chlorophylle, vitamine C) ;
- Maladies cardio-vasculaires (caroténoïdes, flavonoïdes) ;
- Troubles digestifs (terpènes).

### CONSOMMATION

Le romarin est une herbe qui accompagne de nombreux mets dans le « régime méditerranéen ».

## SOJA*

**Germes : 57 kcal/100g**

**Farine : 350 kcal/100g**

**Graines : 458 kcal/100g**

**Huile : 900 kcal/100g**

*Le soja est une plante d'origine orientale qui ressemble un peu au genêt. Après sa floraison, elle produit des gousses contenant deux à trois graines brunes (fèves) appartenant à la famille des légumineuses.*

### CARTE D'IDENTITÉ

Fibres alimentaires (insolubles), Glucides, Lipides (peu), Protides.

**Substances minérales et oligo-éléments** : Calcium, Cuivre, Fer, Magnésium, Manganèse, Phosphore, Potassium, Sélénium, Sodium, Zinc.

**Vitamines** : A – C – B1 – B2 – B3 ou PP – B5 – B6 – B8 – B9 – E.

**Autres substances** : Acides gras oméga-9 (comme l'huile d'olive), oméga-6 (comme l'huile d'onagre) et surtout oméga-3 (comme le colza), Amylose, Flavonoides de type isoflavone, Inhibiteurs d'amylases, Inhibiteur de protéases, Inositol, Lectines, Phytostérols, Polyphénols, Saponines.

## INTÉRÊT NUTRITIONNEL

Les graines de soja renferment des fibres solubles et insolubles ayant un effet bénéfique sur le transit, sur la flore intestinale et sur les taux de sucre et de cholestérol sanguin. Ce dernier effet est renforcé par la présence de saponines qui forment des savons avec l'eau et par celle d'amylose.

Par ailleurs le soja est riche en composé antioxydants augmenté par l'inositol qui aurait un rôle anticancéreux tout en diminuant le cholestérol sanguin. Les phytostérols, l'amylose, les inhibiteurs d'amylase les inhibiteurs de protéases renforcent l'action sur les troubles métabolique tandis que les lectines et les polyphénols renforcent l'action anticancéreuse de même que les acides gras oméga-3. Le taux en vitamine B1 est supérieur à celui de la viande. En outre les isoflavones ont un rôle protecteur sur le cancer du sein et sont particulièrement bénéfiques chez les femmes ménopausées (on parle de phytœstrogènes). On voit que le soja est paré de toutes les vertus

Une étude récente (2004) montre que la longévité et la consommation de légumineuses sont liées.

Ainsi le soja est conseillé dans les situations suivantes :

- Anémie (fer et vitamine B9) ;
- Cancer (inositol, lectines, polyphénols, oméga-3, isoflavones) ;
- Constipation (fibres insolubles et solubles) ;
- Déminéralisation osseuse (phosphore, calcium, potassium) ;
- Excès de cholestérol ou de sucre (fibres solubles, vitamine B3, B5, inositol, saponines, phytostérols, inhibiteurs d'amylase et de protéases, amylose) ;
- Infections (vitamine C, cuivre, oméga-3) ;
- Maladies cardio-vasculaires (vitamine C, E, Bêta-carotène, zinc, sélénium, polyphénols, oméga-3) ;
- Rétention d'eau (bon rapport entre potassium et sodium) ;
- Troubles du transit (fibres) ;
- Troubles métaboliques (vitamine C, E, Bêta-carotène, zinc, sélénium, polyphénols, vitamine B3, B5, phytostérols, inhibiteurs d'amylase et de protéases, amylose, oméga-3) ;
- Vieillissement (minéraux, antioxydants, oméga-3).

## CONSOMMATION

Les germes de soja servis dans les restaurants chinois sont issus d'une espèce particulière et différente de celle traitée ici.

Le lait de soja est obtenu après broyage des graines de soja jaune. Il peut être utilisé chez les personnes intolérantes au lactose car il apporte autant de protéines que le lait de vache.

Le tofu est un caillé de lait de soja.

La farine de soja plus riche en protéines que celle issue du blé peut être utilisée pour l'alimentation.

L'huile de soja est riche en oméga-3 et est l'une des plus consommées au monde. Il ne faut jamais la faire frire car elle est très fragile.

## THÉ*

**0 kcal/100g**

*Le thé est, après l'eau, la boisson la plus consommée au monde (15 000 tasses par seconde).*

### CARTE D'IDENTITÉ

**Substances minérales et oligo-éléments** : Calcium, Cuivre, Fluor, Magnésium, Zinc.

**Vitamines** : C – Bêta-carotène – B1 – B2 – B6.

**Autres substances** : Acide oxalique, Flavonoïdes comme la quercétine, Polyphénols, Tanins (ce dernier étant davantage présent dans le thé vert que dans le thé noir), Théine (ou caféine), Théobromine, Théophylline.

### INTÉRÊT NUTRITIONNEL

Le thé (surtout le thé vert) renferme des substances antioxydantes puissantes comme les flavonoïdes, la catéchine (action antioxydante 200 fois supérieure à celle de la vitamine E) le zinc, la vitamine C le Bêta-carotène, ainsi que des minéraux utiles aux os (calcium, potassium). Les antioxydants luttent contre les maladies cardio-vasculaires mais certaines ont un rôle propre comme la catéchine.

On utilisera le thé dans les cas suivants :

- Cancer (antioxydants, catéchine) ;
- Maladies cardio-vasculaires (flavonoïdes, catéchine, zinc, vitamine C, Bêta-carotène, magnésium, cuivre) ;

- Maladies métaboliques (catéchine, les polyphénol du thé sembleraient réduire le taux de sucre dans le sang) ;
- Ostéoporose (calcium, potassium) ;
- Rhumatismes (cuivre, antioxydants).

### CONSOMMATION

La théine et la caféine désignent la même substance stimulante. Certaines personnes ne la supportent pas. Comme elle est la première libérée, il est possible de jeter la première eau après trente secondes d'infusion. Le thé dépourvu de sa théine peut être alors être remis à infusé et gardes ses propriétés antioxydantes. Il faut un temps d'infusion assez long (environ 5 minutes pour bénéficier de la libération de tous les antioxydants).

Comme le thé empêche l'absorption du fer, il est recommandé de le boire en dehors des repas. Ajouter du lait dedans empêche le thé de conserver le fer mais annihile aussi son pouvoir antioxydant, ce qui est dommage.

Enfin il faut préférer les feuilles de thé vert aux sachets car elles sont plus riches en catéchine.

## THYM*

*Il existe plus de quarante espèces de thym dont le thym «classique», la sarriette et le serpolet.*

### CARTE D'IDENTITÉ

Glucides, Lipides, Protides à l'état de traces

**Substances minérales et oligo-éléments** : Calcium, Chrome, Fer, Magnésium, Phosphore, Potassium.

**Vitamines** : traces ;

**Autre substances** : Flavonoïdes (tanins), Phénols (thymol et cavacéol), Saponosides, Terpènes.

### INTÉRÊT NUTRITIONNEL

Les phénols ont un rôle antioxydant puissant et un rôle anti-infectieux.

Cette dernière propriété est renforcée par les terpènes contenus dans le thym.

Le thym s'utilise dans les cas suivants :

- Cancer (phénols, flavonoïdes) ;
- Cellulite (saponosides) ;
- Infections (phénols, saponosides, terpènes) ;
- Maladies cardio-vasculaires (phénols, flavonoïdes) ;
- Rétention d'eau (saponosides) ;
- Rhumatismes (saponosides).

### CONSOMMATION

L'idéal est d'avoir en permanence du thym fraîchement cueilli, dont les feuilles tiennent bien aux «branches». Les saveurs et les arômes sont exceptionnels !

## TOMATE*

**20 kcal/100g (jus de tomate : 16 kcal/100g) ;**

**Sauce tomate : 120 kcal/100g**

*La tomate est un fruit du printemps, de l'été et de l'automne.*

### CARTE D'IDENTITÉ

Fibres alimentaires (surtout insolubles), Glucides, Lipides (peu), Protides.

**Substances minérales et oligo-éléments** : Bore, Calcium, Chlore, Chrome, Cobalt, Cuivre, Fer, Fluor, Iode, Magnésium, Manganèse, Nickel, Phosphore, Potassium, Sodium, Soufre, Zinc.

**Vitamines** : C – Bêta-carotène – B1 – B2 – B3 ou PP – B5 – B6 – B9 – E.

**Autre substances** : Acides organiques, Caroténoïdes (lycopène…), dérivés de la Capsaïcine aux propriétés décongestionnantes, expectorantes et calmantes.

### INTÉRÊT NUTRITIONNEL

Outre ses vitamines C et E, ses minéraux et ses oligoéléments (chrome notamment), l'intérêt de la tomate réside dans les caroténoïdes qu'elle referme et notamment le lycopène qui lui donne sa belle couleur rouge.

La tomate est conseillée dans les cas suivants :

- Alcoolisme(vitamine E) ;
- Allaitement (vitamine C, calcium) ;
- Calculs rénaux (acides organiques) ;
- Cancer de la prostate (lycopène) ;
- Contraception orale (vitamine C, B9, E, Bêta-carotène, magnésium et le zinc) ;
- Déminéralisation osseuse (calcium, phosphore, potassium, acides organiques) ;
- Exposition solaire (caroténoïdes, vitamine E) ;
- Grossesse (vitamine C, calcium, fer) ;
- Infections à répétition (vitamine C, E, magnésium, capsaïcine) ;

- Maladies cardio-vasculaires (vitamine C, E, zinc, manganèse, cuivre, Bêta-carotène, potassium) ;
- Maladies métaboliques (vitamine C, E, zinc, manganèse, cuivre, Bêta-carotène) ;
- Prévention du vieillissement (vitamine C, E, zinc, manganèse, cuivre, Bêta-carotène, lycopène) ;
- Problèmes de fertilité (vitamine C, E, zinc) ;
- Sports (vitamine C, E, magnésium, potassium) ;
- Tabagisme (vitamine C, Bêta-carotène, lycopène) ;
- Troubles de la vue (vitamine C, caroténoïdes) ;
- Troubles inflammatoires (vitamine E, cuivre).

## CONSOMMATION

Le jus de tomate est une bonne boisson. La cuisson libère les caroténoïdes de la tomate, la sauce tomate italienne contenant de l'huile d'olive et cuisinée de façon « artisanale » est un excellent aliment santé.

# LES ALIMENTS NON RETENUS

La plupart des aliments consommés renferment des propriétés non négligeables pour l'organisme humain. Certains sont particulièrement riches et nourrissants, d'autres permettent de bénéficier de vitamines et de minéraux indispensables au bon fonctionnement de notre corps. En revanche, de nombreux comestibles ne présentent qu'un intérêt nutrititionnel limité.

Le choix de cet ouvrage est de ne retenir que les aliments « irréprochables », à savoir ceux dont les apports sont sans équivoque, et constituent un plus pour la santé.

---

À l'opposé, les aliments ci-dessous ont été volontairement écartés, et ce, pour des raisons très différentes.

Les céréales, hormis le riz (voir fiche), les laitages, les viandes (mis à part le poisson) n'ont pas été retenus car, entre autre, elles acidifient le sang (voir alcalinisants) et favorisent la déminéralisation osseuse. Il assurent un apport nutritionnel utile et permettent une diversification de l'alimentation mais ne correspondent pas aux critères énoncés lors de l'introduction qui nous ont permis d'établir cette liste d'aliments « santé » ou « miracle » comme l'on voudra.

---

# 2

# Mode d'action des aliments

# ACIDES GRAS

Les graisses revêtent une importance primordiale pour protéger notre organisme des agressions extérieures et pour assurer le bon fonctionnement de nos cellules.

En effet notre peau est constituée de protéines qui en assurent la rigidité mais aussi de graisses (lipides) qui en assurent l'étanchéité ; les graisses étant totalement imperméables à l'eau. (La graisse est plus épaisse chez les animaux marins en raison de cette nécessité d'imperméabilité).

La protection que confèrent les lipides s'étend jusqu'aux cellules de notre organisme. Ils régulent en partie les échanges électriques et hormonaux avec l'extérieur. On comprend dès lors que la qualité de ces graisses a une incidence sur le fonctionnement de nos cellules et plus généralement sur celui de notre organisme.

Or les graisses contenues dans les membranes de nos cellules sont le reflet de notre alimentation. Pour nous en convaincre et pour reprendre la comparaison avec les animaux marins, si leur chair est riche en acides gras du type oméga-3 (voir plus loin) c'est qu'ils consomment eux-mêmes du plancton riche en oméga-3.

Les graisses sont constituées d'acides gras. On distingue trois types d'acides gras, répartis différemment selon les aliments. Les acides gras saturés, les mono-insaturés et les poly-insaturés – chacun de ces trois groupes devant représenté idéalement un tiers de la ration lipidique –.

## Acides gras saturés

Les acides gras sont semblables à un train dont les wagons (les atomes de carbones) seraient accrochés entre eux par des rivets (les liaisons). Lorsqu'il n'y a qu'un seul rivet ont parle d'acide gras ou de graisses saturées (ces atomes de carbones n'acceptent pas d'autres atomes d'hydrogène).

### Chaîne d'acides gras saturés

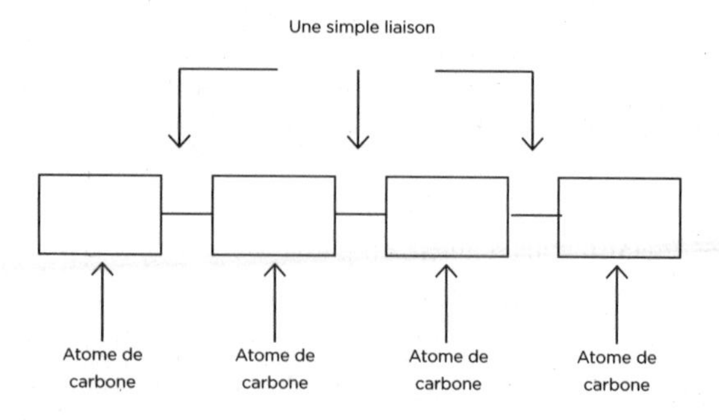

Ces acides gras sont présents dans les graisses originaires d'animaux terrestres. Elles sont faciles à reconnaître car elles se figent à température ambiante (beurre, sauces, fromage, autres produits laitiers, pâtisseries, viandes comme l'entrecôte et les côtes, charcuteries et huile d'arachide principalement).

Les graisses saturées sont les constituants de nos cellules nerveuses mais, consommées en excès, elles favorisent les maladies cardiovasculaires, certains cancers et les réactions inflammatoires.

## Acides gras oméga-9 mono-insaturés

Lorsqu'il existe un double rivet (une double liaison) après le neuvième wagon du train (comprenez le neuvième atome de carbone de la chaîne d'acide gras) on parle d'acide gras mono-insaturé oméga-9.

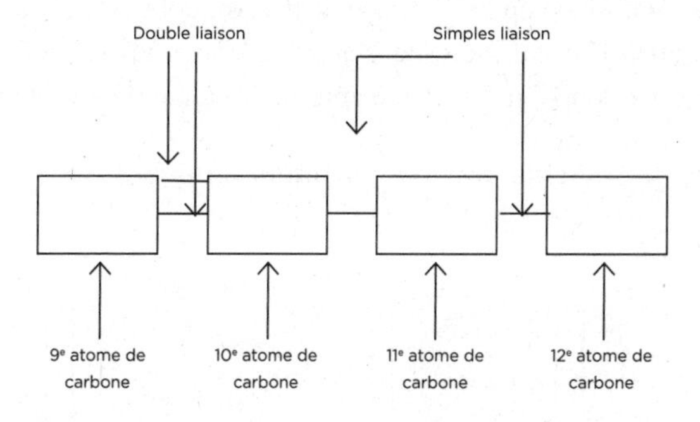

### Acide gras mono-insaturé oméga-9

Le chef de file en est l'acide oléique contenu dans l'huile d'olive mais aussi l'huile de colza, l'avocat, le foie gras, le confit d'oie et de canard, la noisette, l'amande.

À l'inverse des précédentes ces acides gras préviennent les maladies cardio-vasculaires et l'oxydation des acides gras poly-insaturés oméga-6 et oméga-3. Ils jouent peut-être, aussi, un rôle bénéfique dans certains cancer comme celui de la prostate.

Ces acides gras ne se trouvent qu'en petite proportion dans les aliments d'où la nécessité d'en consommer régulièrement.

## Acides gras poly-insaturés

Lorsqu'il existe plusieurs doubles rivets (doubles liaisons entre les atomes de carbone) on parle d'acide gras poly-insaturé.

Suivant la position du premier double rivet (double liaison) on parle d'oméga-3 (il se situe après le 3$^{e}$ atome de carbone) ou d'oméga-6 (le premier double rivet se situe après le 6$^{e}$ atome de carbone).

### Acide gras poly-insaturé oméga-3

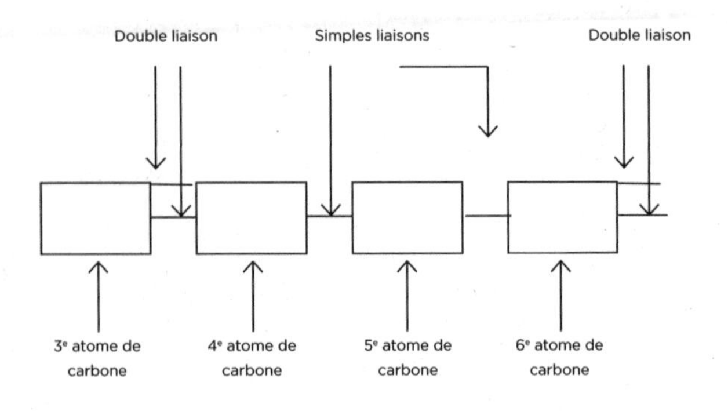

Acide gras poly-insaturé oméga-6

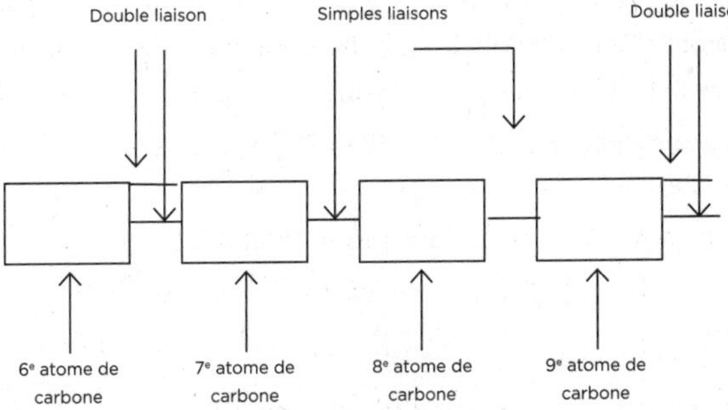

Double liaison
Simples liaisons
Double liaison

6e atome de carbone
7e atome de carbone
8e atome de carbone
9e atome de carbone

Ces doubles liaisons rendent les acides gras beaucoup plus fluides, et par là même, nos structures organiques qui les renferment.

L'organisme ne sait pas fabriquer ces acides gras qui doivent donc être apportés par l'alimentation (on parle d'acides gras essentiels). De l'équilibre entre les oméga-6 et les oméga-3 (il faut une proportion d'une dose d'oméga-3 pour cinq doses d'oméga-6 environ) dépendront les réactions de l'organisme qui peuvent se révéler bénéfiques ou préjudiciables. Actuellement nous consommons trop d'oméga-6 et pas assez d'oméga-3.

## Oméga 6

Cette famille, nous l'avons vu, a son premier double rivet situé après le sixième wagon (la première double liaison est après le sixième atome de carbone). Le chef de file de cette famille est l'acide linoléique. On le trouve principalement dans l'huile de tournesol et dans le maïs.

L'acide linoléique peut se transformer en docteur Jekyll ou en Mr Hyde suivant différents facteurs auxquels il est soumis.

Il devient le bon Dr Jekyll sous l'action de « bonnes graisses » (graisses mono-insaturées et poly-insaturées) ou encore sous l'action des flavonoïdes (voir ce terme). Son action est alors bienfaisante car il :

– Relance les défenses de l'organisme (immunité) ;

– Diminue l'inflammation ;

– Dilate les vaisseaux ;

– Et évite les caillots de sang (antiagrégant plaquettaire).

En revanche, l'acide linoléique se métamorphose en vilain Mister Hyde non pas à la tombée de la nuit mais sous l'effet des radicaux libres et des « mauvaises graisses » (graisses saturées). Le devenir de ce Mister Hyde est en tout point opposé à celle du Dr Jekyll : il favorise la prolifération cellulaire, la dissémination des cellules tumorales, les complications du diabète en attaquant les yeux, les reins et les nerfs. Dans l'organisme ce Mister Hyde a parfois son

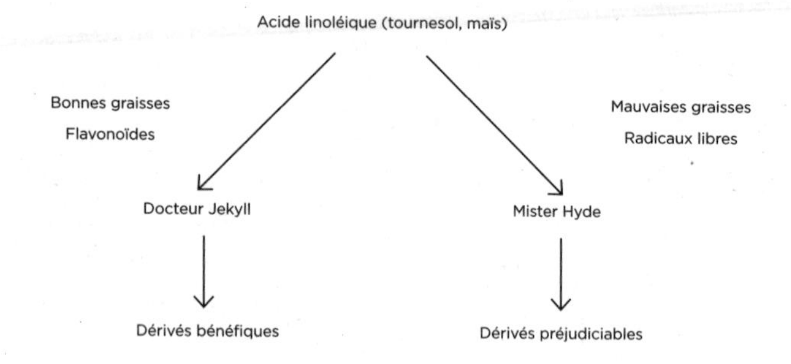

utilité lors des infections pour, par exemple, éliminer les intrus que sont les microbes. Néanmoins, l'organisme ne saurait se satisfaire de sa présence prolongée.

Pour ne pas risquer de transformer le fameux Dr. Jekyll en Mr Hyde les médecins préfèrent prescrire le l'huile d'onagre ou de l'huile de bourrache, toutes deux des oméga-6 particuliers aux propriétés anti-inflammatoires. Tout se passe alors comme si le Dr. Jekyll était enfermé dans sa blouse blanche bienfaisante ne pouvant alors en sortir que très difficilement.

## Oméga-3

Dans ce type d'acide gras le premier double rivet est situé après le troisième wagon (la première double liaison après le troisième atome de carbone, voir schéma ci-dessus).

Le chef de file de cette classe d'acide gras s'appelle l'acide alpha-linolénique qui est présent essentiellement dans le colza, les noix, le soja, le pourpier et le lin. Cet acide alpha-linolénique subit des transformations dans notre organisme et produit des dérivés actifs sur notre santé. Ses propriétés sont les suivantes :

- Diminution de l'agrégation des plaquettes et de la formation de caillots ;
- Dilatation des vaisseaux ;
- Action anti-allergique ;
- Action anticancéreuse ;
- Diminution des réactions auto-immunes (anticorps contre nous-mêmes) ;
- Action anti-inflammatoire ;
- Fluidification des membranes de nos cellules.

Toutefois pour être efficace l'acide alpha-linolénique doit subir un certain nombre de transformations qui s'opèrent de moins en moins facilement avec l'âge. Pour palier cette difficulté, certains aliments compensent cette faiblesse de l'organisme : les poissons gras nous fournissent en quantité d'autres oméga-3 qui sont assimilés quelque soit l'âge sous forme d'EPA (acide eicosapentanoïque) et de DHA (acide docosahexanoïque).

Ainsi, en complément des actions visées ci-dessus, les oméga-3 sont bénéfiques dans les cas suivants :

- Antécédents d'angine de poitrine ou d'infarctus du myocarde ;
- Excès de cholestérol dans le sang ;
- Maladies cardio-vasculaires en général ;
- Maladies métaboliques en général (diabète, cholestérol, triglycérides, obésité) ;
- Rhumatismes ;
- Prévention du vieillissement ;

Soulignons ici que la consommation d'oméga-3 doit impérativement s'accompagner d'antioxydants (voir ce terme) car ces composés sont extrêmement fragiles et risquent de s'oxyder très facilement. Le remède serait alors pire que le mal.

## ALCALINISANTS

La nature s'efforce de maintenir constant l'ensemble des paramètres qui régissent la vie. Il en va ainsi par exemple du taux de sucre dans le sang, de celui de l'oxygène, du taux de potassium et de l'acidité. Or certains aliments comme les protéines (apportées par la viande et les laitages), le sel, les céréales raffinées, le sucre acidifient le sang car ils lui fournissent des ions hydrogène, ammonium et sulfate. À titre d'exemple, le lait et la viande, tous deux riches en soufre, engendre la formation d'acide sulfurique.

Lorsque cette acidité menace le bon fonctionnement de l'organisme, celui-ci cherche à rétablir l'équilibre en l'alcalinisant. Pour cela, il va produire entre autre du citrate et du carbonate de calcium. Ce dernier élément est puisé sur le capital osseux, les os se déminéralisent et du même coup se fragilisent.

Les fruits, les légumes et plus particulièrement ceux à feuilles, les racines comme le navet ou le radis, les tubercules, sont riches en acides organiques sous forme de citrate et en bicarbonate de potassium qui combattent l'acidité sanguine (qui n'a rien à voir avec l'acidité gustative) et permettent de préserver le calcium osseux.

À consommer donc quotidiennement.

## ALLICINE

L'allicine est un composé soufré qui provient d'un acide aminé (élément de base des protéines) la cystéine. Elle est présente dans l'ail, l'oignon, l'échalote et le poireau. Ses propriétés sont multiples :

- *Antithrombotique, anticoagulante* : elle évite les caillots ce qui la rend utile aux personnes atteintes de maladies cardio-vasculaires. Les repas plantureux réputés dans le sud de la France sont rarement suivit d'infarctus en raison de la forte consommation d'ail ingérée au cours du repas.
- *Hypocholestérolémiante* : suivant les études l'ail a des effets variables. Pour les uns, il n'aurait pas d'action sur le cholestérol, pour d'autres il abaisserait son taux de 12% à 20 %. En tout cas,

il augmente le bon. L'action de l'allicine sur le cholestérol est majorée par celle de la vitamine B3 présente dans l'ail.

- *Hypotriglycéridémiant* : l'ail diminue le taux de triglycérides sanguins.
- *Antioxydante* : l'allicine alliée au cuivre, au magnésium, au zinc, au sélénium, et à la vitamine C ont un rôle antioxydant.
- *Hypotenseur* : l'allicine, les prostaglandines, le potassium et le calcium diminuent les chiffres tensionnels.
- *Antibactérienne, antivirale et antifongique* : l'allicine à un rôle antimicrobien mais combat aussi les champignons comme le candida albicans.
- *Renforce l'immunité* : les défenses de l'organismes sont renforcées par l'allicine et par la vitamine C.
- *Anticancérigène* : l'allicine agit sur les cellules malignes. Des études récentes tentent de l'introduire directement dans les cellules tumorales pour les détruire. L'ail semble également avoir une action protectrice sur les cellules saines vis-à-vis du cancer. Cette action est renforcée par les polyphénols contenus dans l'ail.

**Le top 4 de l'allicine : Ail, oignon, échalote et poireau.**

## AMYLOSE

L'amylose est un constituant de l'amidon (avec l'amylopectine). Sa présence dans les légumineuses explique le faible passage de sucre dans le sang. De ce fait, les légumineuses aident à prévenir les maladies comme le diabète ou l'obésité.

Par ailleurs, l'amylose non digérée qui se retrouve dans le gros intestin amène une production élevée de butyrate, substance qui protège du cancer du côlon.

# ANTIOXYDANTS

L'oxygène nous apporte la vie mais à un moindre degré, il nous apporte également la mort. En effet, le fonctionnement de notre moteur, la production de cette énergie vitale induit la formation de composés toxiques pour l'organisme. On appelle ces composés les radicaux libres.

Les atomes contiennent un noyau et des électrons qui gravitent autour de lui. Lorsque plusieurs atomes sont regroupés, on parle de molécule.

Normalement la charge électrique de la matière est neutre. Cependant il arrive qu'un électron se perde. L'atome ou la molécule est devenue instable électriquement et n'aura de cesse de retrouver cet électron qui lui fait défaut. Cette nouvelle substance s'appelle un radical libre.

Les radicaux libres vont alors se livrer à une attaque en règle sur l'organisme pour retrouver leur électron perdu. Cette offensive est menée tantôt directement, tantôt indirectement par réaction avec certains métaux, certaines substances toxiques comme l'alcool ou la fumée de cigarette, voire parfois certains médicaments.

Toutes nos structures biologiques sont touchées par ce « stress oxydatif » : les membranes lipidiques (à base de graisse) de nos cellules mais aussi notre patrimoine génétique formé de protéines et d'acides nucléiques.

Voici, à titre d'exemple, le résultat de ces attaques :

- Sur le cœur et les vaisseaux, les radicaux libres oxydent le cholestérol véhiculé par le sang. Ce dernier va alors se déposer à l'intérieur de la paroi des vaisseaux sanguins et les rigidifier provoquant des maladies cardio-vasculaires comme l'hypertension artérielle, l'angine de poitrine, l'infarctus du myocarde, l'athérosclérose…

- Sur les membranes des cellules et le patrimoine génétique, les radicaux libres favorisent le vieillissement, la formation de certains cancers et sont à l'origine de certaines maladie dégénératives comme la maladie d'Alzeimer ou celle de Parkinson, l'arthrose, la dégénérescence de la maculaire de la rétine…

Face à ces agressions radicalaires, dont la plupart sont inhérentes à la vie elle-même, la nature nous a miraculeusement fourni les moyens de lutter. Le combat est toutefois inégal puisque la mort triomphe toujours de la vie.

Les moyens de lutte contre l'oxydation à l'origine de la production de radicaux libres s'opèrent dans deux directions : soit en « piégeant « les radicaux libres, soit en favorisant au sein de l'organisme la production d'enzymes capables de « déminer » le terrain.

## Les piégeurs de radicaux libres

### Les caroténoïdes

Les caroténoïdes au même titre que la chlorophylle sont des pigments qui servent à la photosynthèse (fabrication de sucre et d'oxygène à partir de l'eau et du gaz carbonique). Ces pigments sont liés à des protéines et leur concentration augmente avec la maturité de l'aliment.

On en distingue différentes sortes :

## Le Bêta-carotène

Précurseur de la vitamine A, très antioxydant, le Bêta-carotène est à l'origine de la coloration orange des aliments ;

**Le top 5 du Bêta-carotène : Pissenlit, carotte, persil, abricot sec, épinard.**

## Le béta-cryptoxanthine

Ce caroténoïde possède des propriétés anticancéreuses démontrées.

**Le top 3 de la bêta-cryptoxanthine : papaye, orange, clémentine.**

## La bixine

La bixine présente dans la carotte est également un caroténoïde et stimulerait la croissance de certaines cellules de la peau (fibroblastes) ce qui présente un intérêt dans le traitement des brûlures par exemple.

## Le lycopène

100 fois plus puissant que le Bêta-carotène, il est également 100 fois moins présent dans les comestibles. Il est à l'origine de la coloration rouge de certains aliments (tomate, pastèque…). On a récemment montré qu'il diminuerait le risque de cancer de la prostate.

**Le top 5 du lycopène : tomate, pastèque, goyave, abricot frais, pamplemousse rouge.**

## La lutéine

La lutéine est un cousin du Bêta-carotène aux propriétés antioxydantes. Elle appartient à la famille des xanthophylles.

Les aliments naturellement riches en lutéine sont les légumes verts, feuillus comme le chou frisé, l'épinard, le brocoli, le petit pois, le cresson, le persil mais aussi d'autres aliments très colorés tel que le maïs, le poivron jaune et le jaune d'œuf.

La lutéine possède une action bénéfique sur la peau et sur la rétine Ce pigment est capable de filtrer la lumière bleue et de protéger la rétine, il réduit les risques de dégénérescence maculaire (atteinte de la rétine liée au vieillissement avec risque de cécité). On a récemment mis en évidence une action bénéfique de la lutéine chez les personnes prédisposées aux maladies cardio-vasculaires du fait d'un excès de sucre ou de cholestérol dans le sang.

**Le top 5 de la lutéine : chou vert et frisé, épinard, courge, brocoli, maïs.**

## La zéaxanthine

Comme la lutéine, la zéaxanthine appartient à la famille des xanthophylles.

Elle est également capable de filtrer la lumière bleue et de protéger la rétine de la dégénérescence.

**Le top 5 de la zéaxanthine : poivron, maïs, kaki, épinard, navet.**

Fruits les plus riches en divers caroténoïdes : mangue, melon, abricot, kaki, papaye, fruit de la passion, pêche jaune, cerise, clémentine, pastèque.

Légumes les plus riches en divers caroténoïdes : pissenlit, carotte, persil, épinard, fenouil, oseille, chou vert, cresson, potiron, tomate.

## LA VITAMINE C

Agit en collaboration avec le magnésium, la vitamine B1, et les autres antioxydants : vitamine E, Bêta-carotène, sélénium, glutathion.

Ses propriétés sont très nombreuses :

- Action contre le cholestérol ;
- Anti-infectieux car elle stimule les réactions de défense de l'organisme, en activant la formation des anticorps et l'activité des globules blancs ;
- Antioxydant ;
- Augmente l'action de la vitamine B9 en collaboration avec la vitamine B3 ;
- Augmente la fertilité ;
- Désintoxique l'organisme des métaux lourds ;
- Facilite la cicatrisation ;
- Favorise la libération d'énergie grâce à la synthèse de carnitine (un acide aminé) à partir de la lysine (un autre acide aminé). La carnitine permet le passage des acides gras dans les mitochondries (centr ale énergétique des cellules) où ils vont y être brûlés pour fournir de l'énergie ;
- Intervient dans la fabrication de la noradrénaline qui est un neurotransmetteur dont l'activité est indispensable au fonctionnement du cer veau mais également dans l'adaptation au stress ;
- Intervient dans la fabrication des corticoïdes propres au corps ;
- Participe au métabolisme du fer en augmentant l'absorption de chrome ;
- Permet la synthèse du collagène qui est un ciment extrêmement solide entre les différentes cellules ;

- Protège les graisses circulantes de l'action des radicaux libres et recycle la vitamine E ;
- Réduit les réactions allergiques.

Dans les situations suivantes, un apport suffisant en vitamine C est nécessaire :

- Allaitement ;
- Contexte chirurgical ;
- Contraception orale ;
- Femmes prévoyant une grossesse à court terme ;
- Infections à répétition ;
- Maladies métaboliques, dégénératives et cardio-vasculaires
- Prévention de la cataracte ;
- Prévention du vieillissement ;
- Problèmes de fertilité ;
- Sports ;
- Tabagisme.

Fruits les plus riches : goyave, cassis, kiwi, papaye, fraise, orange, citron, mangue, clémentine, groseille.

Légumes les plus riches : persil, poivron, brocoli, chou vert, chou-fleur, cresson, chou rouge, épinard, fenouil.

## LA VITAMINE E

La vitamine E exerce les multiples actions suivantes :

- À plus fortes doses réduit le risque de développer une cataracte ;
- Action cicatrisante ;
- Antioxydant, antiradicalaire libre ;
- Effet anti-inflammatoire ;

- Exerce une action fluidifiante sur les plaquettes ;
- Limite l'élaboration de l'athérosclérose ;
- Prévention de certains cancers : œsophage, utérus, côlon, oropharynx, poumon ;
- Prévient les maladies cardio-vasculaires ;
- Stimule les réactions immunitaires.

De ce fait les indications sont nombreuses et concernent les situations suivantes :

- Alcoolisme ;
- Contraception orale (pilule) ;
- Exposition solaire ;
- Maladies cardio-vasculaires ;
- Maladies métaboliques ;
- Personnes bénéficiant d'un traitement contre le cancer ;
- Prévention des troubles provoqués par le vieillissement ;
- Sports ;
- Tabagisme ;
- Troubles de la fertilité ;
- Troubles inflammatoires ou infectieux.

Fruits les plus riches : noisette fraîche, noix fraîche, kiwi, myrtille, avocat, châtaigne, cassis, citron, mûre, abricot.

Légumes les plus riches : fenouil, petit pois, salsifi, épinard, persil, chou vert, oseille, poivron, cresson, brocoli.

## COENZYME Q10 OU UBIQUINONE

Proche parente de la vitamine K par sa structure chimique, la coenzyme Q10 est aussi antioxydante. On la retrouve dans presque tous les organes importants d'où son nom d'» ubiquinone » (qui a la même racine étymologique que le mot « ubiquité », qui veut dire « omniprésence »).

L'organisme est capable de synthétiser la Coenzyme Q10 en fonction de ses besoins, on a cependant constaté qu'avec les années et avec certains médicaments, l'organisme en produisait de moins en moins.

Les aliments sont une source faible de Coenzyme Q10 et la cuisson détruit cette substance.

On en trouve dans la noix, noisette, les poissons gras (sardine, saumon, maquereau, hareng, thon, etc.), l'épinard.

## LES POLYPHÉNOLS

Contrairement aux vitamines, le rôle biologique de nombreux constituants végétaux a été longtemps ignoré. Il existe, en effet, des milliers de molécules, dans la classe des polyphénols. Les polyphénols sont des composés biologiques possédant plusieurs fonction phénol. Ils se répartissent dans plusieurs familles moléculaires (dont les stilbènes avec le resvératrol, les acides phénoliques, 4-oxo-flavonoïdes, anthocyanes, tanins condensés). Ces trois dernières classes de polyphénols forment ce que l'on appelle les flavonoïdes.

### Flavonoïdes

Ces molécules sont retrouvées dans la totalité des produits végétaux, et plus particulièrement dans les fruits, les légumes et les boissons comme le thé ou le vin rouge.

On réduit souvent l'intérêt des fruits et des légumes à leur apport en minéraux, en fibres alimentaires et en vitamines. En fait, l'impact majeur des fruits et légumes serait d'améliorer le statut en micronutriments protecteurs de l'organisme. Les flavonoïdes semblent augmenter grandement leur action protectrice vis à vis des maladies cardio-vasculaires et des cancers.

Il existe trois grandes classes de flavonoïdes :

*1) Les « 4-oxo-flavonoïdes «*

Cette première classe de flavonoïdes regroupe des pigments de couleur jaune ivoire à jaune vif présents dans les organes jeunes et les parties aériennes des plantes plutôt que dans les tubercules ou les racines (à l'exception des oignons). Ils sont abondants dans les légumes à feuilles (salade, chou, épinard, haricot, brocoli), mais aussi dans les fruits (myricétine de la cerise et du raisin).

Parmi les 4-oxo-flavonoïdes :

Les flavonols du type quercétine (la quercétine est réputée pour être la plus active parmi les flavonoïdes) ou rutine sont les pigments les plus répandus. La quercétine du vin et du thé par exemple :

- fluidifie le sang ;
- lutte contre l'inflammation ;
- protège le système cardio-vasculaire ;
- agit contre certains cancer ;
- lutte conter les affections virales .

**Le top 3 de la quercétine : vin, thé, jus de pomme.**

Les plus connus sont les citroflavonoïdes. Ce terme désigne un ensemble de différents flavonoïdes qui se trouvent dans les écorces d'agrumes (orange, citron, pamplemousse, mandarine, orange amère…). Ces citroflavonoïdes :

- Possèdent des propriétés protectrices vis à vis des vaisseaux ;
- Neutralisent les radicaux libres, sont antioxydants ;

- Améliorent l'absorption de la vitamine C.

Les isoflavones, abondants dans les produits du soja, et qui ont des propriétés phytœstrogèniques sans doute intéressantes pour la protection du cancer du sein. Il en va de même de l'apigénine (contenu dans le céleri, le persil et l'épinard) qui est un phytœstrogène qui bloque l'action favorisant des œstrogènes sur certaines cellules cancéreuses comme celles du sein.

*2) Les anthocyanes*

Cette deuxième classe de flavonoïdes donne aux fleurs, aux feuilles et aux fruits une pigmentation rouge-violet ou bleu. On les trouve principalement dans les baies des fruits rouges ou noirs (cassis, myrtille, mûre, raisin noir) et dans bien d'autres fruits.

Il existe aussi quelques légumes riches en anthocyanes (chou, betterave). Les anthocyanes possèdent des propriétés :

- Anti-diarrhéique ;
- Anti-infectieuse ;
- Anticholestérol et antitriglycérides ;
- Veinotonique ;
- Antivieillissement.

À forte dose, les anthocyanes peuvent être toxiques (ce sont des poisons apparentés au cyanure).

Les pigments rouge (lycopène), orange (Bêta-carotène), violet ou bleu (anthocyanes) permettent d'identifier facilement les aliments bénéfiques pour la santé.

*3) Les « tanins »*

Parfois appelés « vitamine P « les tanins regroupent les polyphénols fixés aux protéines. Les tanins hydrolysables de la noix, des mûres ou des framboises sont très peu répandus dans les plantes comestibles. De nombreux fruits et légumes ou des boissons (vin, thé) contiennent des tanins condensés (ou proanthocyanidines), tels que la catéchine ou l'acide ellagique. Seuls les tanins de faible poids moléculaire sont solubles, les autres forment un dépôt et ne sont pas absorbables par l'organisme.

La catéchine aurait une action :

- Anticancéreuse en empêchant la destruction des protéines nécessaires à la multiplication des cellules tumorale (agent anticasseur) mais aussi en privant les cellules cancéreuses de leur oxygène.
- Réductrice vis-à-vis du cholestérol en abaissant le mauvais et en augmentant le bon tout en diminuant les autres graisses du sang (triglycérides).

Pour être efficaces les flavonoïdes doivent subir une transformation de la part de la flore bactérienne contenue dans le tube digestif, ce qui suppose au préalable une flore intestinale de bonne qualité. De nombreux travaux ont montré leur efficacité antioxydante et limiter le processus d'athérosclérose mais aussi leur rôle protecteur vasculaire en agissant à la fois sur la paroi des vaisseaux et sur la fluidité du sang.

Fruits les plus riches en polyphénols : agrumes, pomme, fruits rouges, kiwi.

Légumes les plus riches en polyphénols : oignon, chou rouge, brocoli, chou vert, échalote, pomme de terre.

### Stilbènes

Le plus connu des stilbènes est le resvératrol. Ce dernier appartient lui aussi à la classe des polyphénols. Sa présence dans le raisin explique en partie les propriétés bénéfiques sur la santé d'une consommation modérée de vin. Ce composé largement étudié chez les animaux a montré qu'il exerce une action sur l'inflammation, la coagulation du sang par le biais de l'agrégation plaquettaire, la formation des vaisseaux sanguins (angiogenèse), le maintien de la masse osseuse, la réduction de la masse adipeuse, la protection des neurones et le vieillissement. Il diminue également l'oxydation des lipides dans le sang et par conséquent l'athérosclérose. Toutefois, toutes ces études sont difficilement assimilables à l'homme.

## Les composés soufrés

Les plus connus sont :

- L'acide lipoïque principalement contenu dans l'épinard, les rognons, le cœur, la viande de bœuf, le brocoli, la levure de bière. Son action antioxydante est parmi les plus puissantes. Il est aussi bien soluble dans l'eau que dans la graisse ce qui lui permet d'être actif en toutes circonstances d'où son nom d'« antioxydant universel ». Son action antioxydante ne s'arrête pas là. L'acide lipoïque est capable de recycler les autres antioxydants naturels comme la vitamine E, la vitamine C et le glutathion ce qui prolonge leur activité. Par ailleurs, l'acide lipoïque joue un rôle important dans la production d'énergie nécessaire au fonctionnement vital ;
- Le sulforaphane (voir plus loin paragraphe sur les enzymes de phase 2) contenus principalement dans les crucifères ;
- L'allicine de l'ail.

Ces composés ont également le pouvoir de régénérer d'autres antioxydants comme la vitamine C, la vitamine E et le glutathion.

## Les démineurs de radicaux libres

La seconde catégorie participant à l'action antioxydante concerne les « démineurs «. Il s'agit principalement de minéraux qui agissent en étroite relation avec les enzymes (le nom scientifique de ces dernières se termine toujours en « ase «) présentes dans nos cellules (fruits de la mer principalement et les céréales) :

### LE CUIVRE

Le cuivre a un rôle dans le fonctionnement des globules rouges en favorisant la fixation du fer. Il participe à de nombreuses réactions chimiques de l'organisme notamment dans la production d'énergie.

Apporté par les aliments (coquillages, fruits et légumes secs...), il agit en concertation avec la céruloplasmine et la superoxyde dismutase ;

Les aliments contenant du cuivre peuvent être utilisés pour lutter contre les :

- Infections ;
- Arthroses ;
- Affections inflammatoires : rhumatismes, polyarthrite.

**Le top 5 du cuivre : coquillages, noix de cajou, figue de barbarie, noix de coco, banane séchée.**

### LE SÉLÉNIUM

Le sélénium est un agent antioxydant dont l'action protège des maladies cardio-vasculaires et vraisemblablement de certains cancers. Il jouerait aussi un rôle dans l'immunité, c'est-à-dire pour se défendre contre les infections.

Il ralentit le vieillissement cellulaire et participe à de nombreuses réactions chimiques vitales pour l'organisme.

Le sélénium est lié principalement aux protéines animales. Les régimes végétaliens peuvent provoquer à la longue une carence en cet oligo-élément avec des conséquences sur le cœur.

Les aliments contenant du sélénium doivent être consommés dans les cas suivants :

- Suites d'opération chirurgicale ;
- Maladies cardio-vasculaires ;
- Prévention de certains cancers : côlon, poumon, prostate ;
- Prévention du vieillissement.

**Le top 5 du sélénium : poissons, céréales complètes, champignon, ail, endive.**

Le sélénium agit en concertation avec la vitamine E et en concertation avec un enzyme antioxydant la superoxyde dismutase.

## LE ZINC

Le zinc joue un rôle important dans les défenses de l'organisme contre les attaques venues de l'extérieur ou de l'intérieur (immunité). Il permet la fabrication des acides nucléiques autrement dit de la substance même de la vie puisque ces dernières sont à l'origine de l'ADN qui forme les chromosomes. D'autres acides nucléiques sont aussi responsables de la formation de protéines et d'hormones notamment sexuelles. En plus de cela le zinc permet aux hormones d'être « lues « par l'organisme ce qui déclenche leur action.

Par exemple lorsque l'insuline est libérée lors d'un repas, le sucre ingéré va être incorporé dans les cellules grâce au zinc.

En outre celui-ci préserve la peau des attaques oxydantes grâce à son action antiradicalaire libre.

Le zinc joue enfin un rôle dans la vision, le goût, l'odorat et limite les actions néfastes du stress.

Les aliments contenant du zinc sont indiqués dans les situations suivantes :

- Suites d'opération chirurgicale ;
- Maladies cardio-vasculaires ;
- Prévention de certains cancers : côlon, poumon, prostate ;
- Prévention du vieillissement.

**Le top 5 des aliments contenant du zinc : fruits de mer, poisson, noix (noix, noisette, noix de cajou), pissenlit, ail.**

## LE MANGANÈSE

Le manganèse agit de concert avec la superoxyde dismutase. Il renforce l'action antioxydante de cette enzyme et agit dans de nombreuses réactions chimiques de l'organisme notamment pour fabriquer des constituants de la peau ou du cartilage.

Les aliments contenant du manganèse sont recommandés pour lutter contre les :

- Arthrites ;
- Allergies ;
- Troubles cardio-vasculaires ;
- Troubles métaboliques.

**Le top 5 du manganèse : Noix de pécan, abricot sec, noix de coco, persil, noix de cajou.**

### Le chrome

Le chrome participe au maintien du taux de sucre dans le sang (glycémie), à plus forte dose, il possède lui aussi un rôle antioxydant. Un déficit en chrome conduit à une augmentation des graisses sur le pourtour de la ceinture abdominale.

Les aliments contenant du chrome doivent être consommés par les personnes présentant les situations suivantes :

- Diabète ou glycémie un peu haute ;
- Au moment de la ménopause (et de l'andropause qui est l'équivalent masculin) pour réduire le stockage des graisses autour de l'abdomen.

**Le top 5 du chrome : œuf, pomme de terre, persil, épinard, tomate.**

Une alimentation riche en antioxydants est bénéfique tant pour le cœur et les artères que pour une meilleure protection contre certains cancers digestifs (bouche, œsophage, estomac, côlon et rectum), respiratoires (poumon, larynx) et glandulaires (prostate). Plus récemment on a montré un profit sur les fonctions cérébrales (mémoire, expression…).

## CAPSAÏCINE

La capsaicine est un composé chimique piquant selon le type de piment qui se trouve dans les piments (présent entre 1 et 4% suivant le type de piment).

Ce composé confère aux aliments qui en renferment des propriétés décongestionnantes, expectorantes et calmantes. Parmi les familles qui renferment des dérivés de la capsaïcine (solanacés) on trouve aussi les tomates mais ce sont les piments qui en renferment la plus grande quantité dont notamment le paprika et le piment rouge.

## CAFÉINE

La caféine ou théine est un alcaloïde. Elle agit sur le cerveau en le stimulant : elle augmente l'état de veille ainsi que les performances intellectuelles. Elle facilite la libération d'adrénaline : le cœur s'accélère et la pression artérielle augmente. Elle est dotée de propriétés diurétiques (élimination de l'eau). Elle peut provoquer des palpitations cardiaques, des angoisses, de l'irritabilité, des douleurs dues à l'acidité de l'estomac et une déminéralisation osseuse suivant les doses consommées et la sensibilité de chacun.

**Le top 3 de la caféine : café, chocolat, cola.**

## CHLOROPHYLLE

Responsable de la coloration verte des végétaux la chlorophylle assure la photosynthèse (transformation de l'eau et du gaz carbonique en sucre et en oxygène). Elle est soluble dans les graisses, ce qui lui permet de traverser la barrière intestinale et de jouer différents rôles :

- Alcalinisant ;
- Antibactérien ;
- Anti-inflammatoire ;
- Antiradiation ;
- Améliore le transit intestinal ;
- Déodorant.

## COUMARINES

Les coumarines sont des composés phénoliques (polyphénols) présentes dans les plantes, les baies et les légumineuses. Elles sont dotées de propriétés antioxydantes et détoxifiantes par induction des enzymes de phase 2 qui neutralisent les composés cancérigènes de l'alimentation et de l'organisme.

Ces composés possèdent des effets bénéfiques sur les spasmes, des propriétés anti-infectieuses et anticoagulantes.

Les aliments renfermant des coumarines sont utiles en cas de :

- Athérosclérose ;
- Colites, toux ;
- Douleurs quel qu'en soit l'origine ;
- Hémorroïdes
- Infections ;
- Œdème ;
- Varices.

## CUCURBITACINES

Les curcurbitacés comprennent deux groupes : la famille des courges (courge, courgette, potiron citrouille, melon, pastèque…) et celle des concombres (concombre, cornichon…).

Ils renferment tous des composés qui ont démontré, in vitro, posséder des activités anticancérigènes et anti-inflammatoires.

Par ailleurs on a pu montrer une action hypoglycémiante chez des personnes diabétiques. Le mécanisme d'action et les principes actifs ne sont pas connus pour l'instant.

Les cucurbitacines seront donc conseillées pour lutter contre les :

- Cancers ;
- Maladies cardio-vasculaires ;
- Maladies métaboliques comme le diabète ou l'obésité ;
- Rhumatismes.

## CUCURMINOÏDES

Les cucurminoïdes (voir curcuma) sont des antioxydants très puissants (voir ce terme plus haut). Ils jouent un rôle dans les troubles digestifs, notamment biliaires, et la perte d'appétit encore que certaines études (contradictoires) semblent montrer, qu'à fortes doses, ils peuvent irriter l'estomac.

Par ailleurs, on a prouvé expérimentalement que ces substances possèdent des propriétés anticancéreuses. De fait on observe moins de cancers digestifs chez les Indiens qui consomment régulièrement le curcuma.

Enfin les lésions digestives dues à la radiothérapie semblent mieux cicatriser sous l'effet des cucurminoïdes.

Ainsi les curcurminoïdes sont utiles dans les cas suivants :

- Anorexie ;
- Brûlures de l'estomac ;
- Cancer (côlon, estomac, bouche, peau, sein, prostate, poumon, leucémie) ;
- Maladies cardio-vasculaires ;
- Maladies métaboliques ;
- Troubles de la vésicule biliaire ;

- Troubles digestifs ;
- Radiothérapie digestive ;
- Rhumatismes.

## CYANARINE

La cynarine, a démontré une activité spécifique de cholagogue (qui augmente la production de la bile dans le foie) et de cholérétique (qui augmente la circulation de la bile dans la vésicule biliaire) et choliokénétique (qui augmente la contraction du conduit biliaire).

On trouve la cyanarine dans les feuilles d'artichaut et dans l'endive.

## ENZYMES DE PHASE 2

Notre patrimoine génétique (ADN) est en permanence agressé par des radicaux libres et par certains composés qui viennent naturellement se fixer sur eux. Ces phénomènes sont responsables d'une destruction partielle et d'un « encrassage « de l'ADN. Imaginez un système d'horlogerie dont le mécanisme serait plus ou moins bouché par des saletés. À terme, ce mécanisme ralentira et l'heure ne sera plus exacte. Il en va de même pour le patrimoine génétique qui ne donne plus d'informations exactes dans ces conditions.

Certains aliments tels que l'asperge, la carotte, le céleri, les crucifères, l'épinard, le gingembre, la laitue, l'oignon vert et le poireau sont de véritables lampes d'Aladin. Ils contiennent des enzymes appelées « enzymes de phase 2 «. La mastication agit à la façon du mouchoir d'Aladin. Elle a le pouvoir de libérer le bon génie contenu dans l'aliment.

### Sulforaphane

Ce bon génie s'appelle le sulforaphane. Avec cette substance le mécanisme d'horlogerie (comprenez notre patrimoine génétique) est aussi propre que s'il était neuf. Ainsi le sulforaphane protège notamment du cancer.

### Indole

Les indoles contenus dans les crucifères (chou, brocoli) le navet, l'oignon… sont également de bons génies qui sortent de la lampe d'Aladin lorsqu'on la frotte (comprenez que les enzymes de phase 2 sont activés).

Lors de la digestion, les composés nommés indoles se transforment en 3, 3 diindolylmethane (DIM). Cette molécule empêche la prolifération des cellules malignes et notamment au niveau du sein.

Le DIM agit sur les cellules tumorales en diminuant leur prolifération. Ce mécanisme qui a pour effet d'arrêter l'évolution du cancer.

## LES FIBRES ALIMENTAIRES

Les fibres alimentaires ne sont pas absorbées par l'organisme car celui-ci ne sait pas les digérer. Cependant, aussi étrange que cela puisse paraître, ces fibres revêtent une importance majeure pour la digestion et la santé.

On distingue deux sortes de fibres. Chacune présente des avantages distincts de l'autre.

## Les fibres alimentaires solubles

Ces fibres solubles dans l'eau sont de texture molle. Elles forment un gel à la surface de l'intestin ce qui permet :

- D'aider à maintenir constant le taux de sucre (glycémie) dans le sang ;
- D'abaisser le taux de cholestérol et plus particulièrement la part du mauvais cholestérol (LDLcholestérol). En effet la seule voie d'élimination du cholestérol est la voie fécale (selles) et les fibres solubles des fruits et des légumes favorisent cette élimination ;
- De former grâce à la cuisson (comme pour l'oignon) un mucilage aux propriétés légèrement laxatives.

On trouve les fibres solubles dans :

- Le son d'avoine ;
- Les flocons d'avoine ;
- Les légumineuses comme les lentilles, les pois, les haricots secs ;
- Les fruits comme la pomme, les fraises, la poire, les raisins ou les agrumes qui sont riches en pectine ;
- Le psyllium.

## Les fibres alimentaires insolubles

Ces fibres ont une texture plus ferme. On les appelle aussi fibres de ballaste. Elles doivent être au préalable mâchées plus longuement et plus intensément ce qui contribue à l'hygiène dentaire en prévenant la plaque dentaire.

Les sucres de ces fibres alimentaires sont traités, au niveau du gros intestin, grâce à la flore intestinale. Là, se créé une fermentation qui entretient à son tour l'activité de cette flore microbienne en évitant la putréfaction. Cette dernière est mise en cause dans la prolifération de bactéries indésirables responsables de désordres immunitaires c'est à dire mettant en cause les défenses de l'organisme. D'autre part la fermentation contribue à la production d'acides organiques qui solubilisent de nombreux minéraux et améliorent ainsi leur digestibilité. Ainsi, 15 grammes de fibres alimentaires insolubles par jour, augmentent de 10 % l'assimilation des aliments et notamment du calcium.

Les fibres insolubles favorisent le transit intestinal et semble aussi diminuer le risque de cancer colique.

Ces fibres alimentaires ont un grand pouvoir de rétention d'eau. Le son de blé par exemple est capable de retenir 4 fois son poids en eau, le chou 8 fois son poids et la pomme 13 fois son poids. Cette rétention s'avère très utile pour lutter contre la constipation.

Les nombreuses qualités des fibres ne s'arrêtent pas là. Elles contribuent aussi par leur gonflement au sentiment de satiété et évitent une alimentation trop abondante. Elles sont donc très utiles pour qui veut limiter sa prise de poids car, n'étant pas absorbées, elles n'apportent pas de calories.

On trouve les fibres insolubles principalement dans :

- Le son de blé ;
- Les céréales au son de blé ;
- Les aliments contenant des grains entiers comme le pain de blé ou de seigle entier ou encore le riz brun ;
- Les fruits et les légumes en sachant que la pelure est la plus riche en fibres.

Fibres solubles et insolubles cœxistent dans les aliments chacune en y apportant ses bienfaits.

## INHIBITEURS D'AMYLASES

Les légumineuses (haricot, lentille, petit pois...) contiennent des inhibiteurs d'amylase, une enzyme qui sert à digérer l'amidon. Une étude clinique réalisée avec de l'extrait d'haricots a démontré des résultats prometteurs dans le traitement de l'obésité et de l'hypertriglycéridémie (excès de triglycérides).

## INHIBITEURS DE PROTÉASES

Les légumineuses (haricot, lentille, petit pois...) contiennent des inhibiteurs de protéases. Ces composés chimiques ont mauvaise presse depuis longtemps puisqu'ils réduisent la digestibilité des protéines, mais les études ont démontré qu'ils possèdent aussi des propriétés anticancérigènes au niveau de l'intestin.

## LECTINES

Les lectines sont des protéines liées à des sucres (des glycoprotéines). On les trouve notamment dans les légumineuses (haricot, lentille, petit pois...). On a montré chez l'animal que les lectines des haricots auraient des propriétés antifongiques (contre les champignons), antivirales et anticancers. Ces résultats prometteurs demandent à être confirmés.

## LIGNANES

Se rencontrent chez les végétaux supérieurs et chez l'homme où ils peuvent être synthétisés par la flore fécale. Ces composés possèdent un rôle anticancéreux potentiel. Comme les isoflavones, elles sont douées de propriétés phytœstrogéniques mais à la différence de ces dernières seulement lorsqu'elles sont transformées par la digestion. On ne les trouve en quantité appréciable que dans les graines de lin.

# MINÉRAUX

Les minéraux sont apportés principalement par le règne végétal sous forme de sels minéraux. Ils contribuent à la respiration cellulaire, aux grandes réactions biochimiques qui produisent de l'énergie et de la matière, leur apparente banalité dissimule un rôle vital.

## Calcium

Le calcium est le minéral le plus abondant dans l'organisme. Il représente environ 1 kilogramme, dont 99 % sont situés dans les os, chez un homme de 70 kg. Ses rôles sont multiples.

- Il est un composant intégral de l'armature osseuse et des dents dont il assure la croissance ;
- Il joue un rôle important dans le contrôle de la tension artérielle et celui du rythme cardiaque ;
- Il participe à la contraction musculaire;
- Il joue un rôle dans la coagulation du sang.

Le calcium est indiqué dans les cas suivants :

- Déminéralisation osseuse avec des risques de fractures (50 000 fractures du col du fémur par an en France, dont 3/4 chez les femmes) ;
- Crises de tétanie ou de spasmophilie ;

- Mauvais contrôle de la tension artérielle chez les personnes souffrant d'hypertension ;
- Risque de cancer du côlon.

**Le top 5 du calcium : Persil, pissenlit, figue sèche, cresson, épinard et bien sûr l'eau minérale.**

## Chlore

Le chlore maintient l'équilibre hydroélectrique et les pressions des différents milieux ainsi que la stabilité électrique des membranes cellulaires. Il est l'un des constituant du liquide cérébro-spinal et du suc gastrique. Il est toujours associé à d'autres minéraux comme le potassium ou le sodium pour former des sels.

## Fer

Le fer sert au transport de l'oxygène nécessaire à la production d'énergie sur le plan cellulaire, notamment les cellules musculaires. La carence en fer provoque une anémie à l'origine de grave troubles physiques et moraux.

Cependant, le fer serait pro-oxydant c'est à dire qu'il favoriserait la production de radicaux libres. Il convient donc de ne pas prendre de suppléments en fer si cela n'est pas nécessaire. D'autre part ; le fer empêche l'assimilation du zinc par l'organisme.

Le thé ou les fibres diminuent la proportion de fer qui passe dans le sang. En revanche la vitamine C et les protéines animales l'augmentent.

Durant la grossesse, une carence en fer augmente la fatigue et les risques d'accoucher prématurément d'un enfant de faible poids.

Chez les enfants, elle peut se traduire par des retards sur le plan de la croissance et des problèmes de comportement.

Chez les adolescentes, où on la rencontre fréquemment, elle affecte la capacité de mémorisation et d'apprentissage.

Le fer le plus assimilable est d'origine animale (viande rouge et poisson) car il est lié à une protéine (l'hème) constituant de l'hémoglobine. Les végétaux sont souvent des sources d'appoint appréciables.

Ainsi le fer est utile dans les cas suivants :

- Adolescents ;
- Grossesse ;
- Anémie ;

## Phosphore

Le phosphore est avec le calcium l'élément le plus abondant dans l'organisme. Il participe à la trame du squelette osseux mais aussi dans la production d'énergie et au bon fonctionnement des cellules du système nerveux.

Une carence en phosphore peut être responsable de troubles neuro-musculaires comme les crises de tétanie ou de spasmophilie qui se caractérisent par des petites contractions involontaires des paupières ou du coin de la bouches, des «ratés» dans le rythme cardiaque (extrasystoles) mais aussi dans les crises d'anxiétés importantes avec des difficultés à respirer ou des fourmillements dans les membres.

## Potassium

Le potassium au même titre que le sodium joue un rôle dans la répartition de l'eau corporelle. C'est dire que son action est importante dans l'équilibre des chiffres de la tension artérielle.

Par ailleurs, il participe à la contraction des fibres musculaires et cardiaques ainsi que dans le rythme de ce dernier.

Les aliments contenant du potassium sont particulièrement conseillés dans les situations suivantes :

- Fatigue ;
- Crampes ;
- Prévention des accidents cardio-vasculaires ;
- Hypertension artérielle.

**Le top 5 du potassium : poisson, fruits secs (abricot, figue...), légumes secs (lentilles, pois...), persil, oléagineux (noix, noisette...).**

## LES OLIGO-ÉLÉMENTS

Certains minéraux sont présents en moins grande quantité dans l'organisme que le calcium, le phosphore ou le potassium. On parle d'oligo-éléments (oligo en grec signifie peu). Peu de concentration ne signifie pas peu d'action, loin de là !

### Bore

Le bore semble jouer un rôle dans la reproduction, la croissance, la concentration, la mémoire, et dans le développement des os, car il contribue à l'assimilation du calcium, du magnésium et de la vitamine D.

Ainsi le bore est préconisé dans les cas suivants :

- Arthrite ;
- Arthrose ;

- Ostéoporose ;
- Prévention du cancer de la prostate.

**Top 5 du bore : champignon, radis, betterave rouge, raisin sec, celeri-rave.**

## Fluor

Le fluor a un rôle dans la prévention des caries chez les jeunes enfants. Par la suite, il solidifie les dents et les protège. Il joue également un rôle dans la formation et la solidité des os.

Les aliments contenant du fluor sont conseillés dans ces situations :

- Les caries dentaires ;
- L'hyperlaxité ligamentaire suites à des entorses par exemple ;
- Les tendinites ;
- Les déminéralisations osseuses.

**Le top 5 du fluor : thé, fruits de mer (huître, moule, coque…), œuf, légumineuses (lentilles, pois et pois chiche), abricot sec.**

## Iode

L'iode permet un fonctionnement correct de la thyroïde qui est une glande située à la base du cou, un peu au-dessus du sternum. Cet oligo-élément permet une bonne croissance du corps et de l'intelligence.

Les aliments contenant de l'iode sont indiqués chez :

- Les personnes ayant des troubles mineurs du fonctionnement de la thyroïde lorsqu'il est nécessaire de la stimuler.

## Magnésium

Le magnésium participe à presque toutes les réactions biochimiques de l'organisme. Ainsi, il :

- Permet une réponse de qualité dans la transmission des influx nerveux et dans la contraction musculaire ;
- Assure des battements cardiaques réguliers ;
- Joue un rôle important dans la défense de l'organisme contre les infections. ;
- Agit sur la formation des os et la croissance osseuse ;
- Permet l'activation des vitamines du groupe B ;
- Permet une bonne adaptation au stress ;
- Favorise la fluidité sanguine.
- Le stress, qu'il soit physique ou moral, consomme beaucoup de magnésium. Les régimes amaigrissants sont souvent pauvres en magnésium car les aliments qui en contiennent sont très caloriques. En cas de carence, les organes en rapport avec le système nerveux souffrent. La personne concernée développe alors des signes de spasmophilie ou de tétanie. Les premiers signes en sont de petites contractions involontaires de la paupière ou des lèvres, puis si les carences se poursuivent, survient une gêne pour respirer, des palpitations cardiaques, puis une véritable angoisse.
- Une carence en magnésium déstabilise les chiffres tensionnels chez les personnes sujettes à l'hypertension artérielle.

ium est donc indiqué dans les cas suivants :

es (contractions involontaires de certains muscles
eux de la paupière de l'œil) ;

ns cardiaques ;

- Infections à répétition ;
- Stress, angoisses ;
- Crises de spasmophilie (ou de tétanie) ;
- Chiffres tensionnels déstabilisés.

## Soufre

Le soufre se trouve dans tous les aliments comportant des acides aminés soufrés (cystine, cystéine, méthionine) comme dans l'ail, l'oignon, le poireau, le cresson, le radis, l'œuf, le riz, la pomme de terre, la datte, le chou, la châtaigne, le concombre, cornichon, l'avoine.

Dans l'organisme, sa répartition et ses actions sont multiples, il est un constituant :

- De l'héparine (anticoagulant) ;
- Du glutathion (antioxydant) ;
- De l'acide chondroïtine sulfate (présent dans les cartilages)
- De la kératine (peau) ;
- De l'insuline (hormone qui diminue le taux du sucre sanguin) ;
- Du coenzyme A (libération d'énergie)
- De la vitamine B1 (voir ce terme).

Il joue également un rôle dans les réactions biochimiques de nettoyage en sulfoconjugant les éléments toxiques pour l'organisme. Ainsi le soufre sera utile dans les cas suivants :

- Acné ;
- Alcooliques ;
- Athérosclérose ;

- Rhumatismes ;
- Sports ;
- Troubles métaboliques.

## LES PRÉOBIOTIQUES

Les prébiotiques sont des glucides non assimilables par notre organisme. Parmi ces sucres les fructosanes sont les plus répandus. Ils ont une activité prébiotique c'est à dire qu'ils stimulent la croissance et l'activité des bactéries qui vivent dans nos intestins et facilitent le travail de digestion mais aussi les défenses de l'organisme face aux infections. Par ailleurs, ils sont également dotées de propriétés diurétiques qui facilitent l'élimination d'eau et de sel.

Les alliacés (poireau, ciboulette, oignon ail) sont une bonne source de fructosanes (prébiotique). Suivent l'artichaut, l'échalote.

## PROSTAGLANDINES

Les prostaglandines sont des substances chimiques qui régulent certaines fonctions cellulaires comme par exemple la régulation de la tension artérielle, l'élasticité des vaisseaux, les réactions inflammatoires ou anti-inflammatoires, l'agrégation des plaquettes sanguines, les réactions de défense de l'organisme face à des agents extérieurs etc.

Certains aliments contenant des acides gras poly-insaturés ou de l'allicine, par exemple, augmentent les protaglandines bénéfiques tandis les radicaux libres et les aliments contenant des sucres rapides ou des acides gras saturés augmentent les prostaglandines plus néfastes.

## SAPONOSIDES

Les saponosides du thym par exemple (ou saponines, du latin : sapon, savon) ont une action émulsionnante (savon). Ils ont une action dépurative (nettoyage) sur les reins et les bronches. Ils favorisent le déstockage des graisses (action lipolytique), aident à dégrader les cellules tumorales, sont des cicatrisants, et possèdent un pouvoir anti-inflammatoire pour certains d'entre eux.

En résumé, il sont bénéfiques dans les cas suivants :

- Bronchite ;
- Cellulite ;
- Cancer ;
- Rétention d'eau ;
- Rhumatismes.

## SORBITOL

Le sorbitol est un sucre alcool naturel (dérivé du glucose) présent dans certaines plantes et certains fruits. Il facilite le fonctionnement de la vésicule biliaire et de ce fait le transit intestinal. Il peut occasionner des diarrhées s'il est consommé en trop grandes quantité.

Il faut faire attention en cas de troubles biliaires.

**Top 6 du sorbitol : Abricot, cerise, datte, framboise, groseille, prune.**

## PHYTOSTÉROLS

Les phytostérols ou stérols végétaux sont des extraits végétaux qui ont la particularité d'entrer en compétition avec le cholestérol dans les intestins. Ils agissent à la façon d'un leurre et diminuent de ce fait les taux de LDL-cholestérol que l'on appelle aussi « mauvais « cholestérol.

## TERPÈNES

Les terpènes sont des hydrocarbures qui confèrent à certains végétaux leur « senteur « particulière ce qui conduit à les utiliser en parfumerie.

Certains d'entres eux ont des propriétés biologiques importantes. Citons à titre d'exemple :

- Les monoterpènes (menthol, citronelle...) aux propriétés anti-infectieuses ;
- Les diterpènes (vitamine A) au propriétés cicatrisantes ;
- Les triterpènes aux propriétés anticancéreuses, anti-inflammatoires et préventives sur l'hypertrophie bénigne de la prostate.

Les recherches actuelles étudient les propriétés anticancéreuses de certains terpènes.

## THÉOBROMINE

La théobromine est un alcaloïde qui stimule le système cardio-pulmonaire, les fonctions rénales, dilate les vaisseaux, améliore les performances musculaires et accélère la transmission de l'influx nerveux. Cette substance diminue aussi le temps de réponse lors de la stimulation des nerfs périphériques (augmente les réflexes). Elle diminue les effets du stress en bloquant les récepteurs à l'adrénaline. Bref c'est la substance préférée des agents secrets.

On la trouve dans le cacao et le café.

# LES VITAMINES

Les vitamines C et E sont traitées dans le chapitre antioxydants. Les autres sont regroupées ci-dessous.

## Vitamine B1

Les vitamines du groupe B interagissent entre elles en concertation avec le magnésium. Il n'est donc pas rare de les trouver réunis dans les mêmes aliments de même que le sucre dont ces vitamines facilitent la consommation pour produire de l'énergie.

La vitamine B1 :

- Permet la transformation des aliments en énergie notamment du glucose ;
- Participe au fonctionnement des muscles et de la mémoire ;
- Participe à la transmission de l'influx nerveux.

Les aliments contenant de la vitamine B1 sont utiles dans les cas suivants :

- Personnes âgées ayant des troubles de la mémoire et de la concentration ;
- En prévision d'une intervention chirurgicale chez les personnes ayant des difficultés à cicatriser ;
- Les grands consommateurs d'alcool ;

- Les diabétiques traités par insuline ;
- En cas d'infection ;
- Les sportifs : 2000 calories dépensées éliminent 1 mg de vitamine B1 ;
- Contraception orale ;
- Grossesses ;
- Personnes ayant une malabsorption intestinale.

**Le top 5 de la vitamine B1 : noix de pécan, noix de cajou, noisette, petit pois, noix.**

## Vitamine B2

La vitamine B2 est soluble dans l'eau et agit en concertation avec les autres vitamines du groupe B, le Bêta-carotène et le magnésium.

- Elle agit dans la production d'énergie à partir des aliments ;
- Elle active la vitamine B6, elle-même indispensable à l'activation de la vitamine B3 ;
- Action antioxydante par sa synergie (augmentation de l'efficacité conjointe) avec le glutathion ;
- Améliore la qualité des tissus et organes (peau, œil…) ;
- Favorise la croissance ;

En conséquence la vitamine B2 est indiquée dans les situations suivantes :

- Alcoolisme ;
- Contraception orale ;
- Diabète ;
- Dialyse ;
- Grossesses ou allaitantes ;

- Hypothyroïdie …
- L'allaitement ;
- La grossesse ;
- Personnes âgées …
- Radiothérapie qui abaisse également les taux de glutathion. La recharge en glutathion se fait grâce à la vitamine B2 ;
- Régimes végétariens ;
- Sports.

**Le top 5 de la vitamine B2 : raisin sec, champignon, persil, épinard, châtaigne.**

## Vitamine B3 ou PP

La vitamine B3 recouvre en fait deux substances : l'amine nicotinique et l'acide nicotinique. Elle agit en concertation avec les vitamines du groupe B, le magnésium et le lithium.

L'acide nicotinique permet la libération d'énergie dans les cellules de l'organisme à partir des glucides, des lipides, et des protides.

La vitamine B3 sous forme d'acide nicotinique réduit le « mauvais cholestérol (LDL) «, augmente le « bon cholestérol (HDL) «, diminue les triglycérides ; En autre, elle :

- Dilate des artères ;
- Maintien un bon état de la peau ;
- Agit en qualité d'agent antidépresseur en augmentant le tryptophane qui est un précurseur de certains médiateurs du cerveau.

En conséquence, la vitamine B3 est indiquée dans les cas suivants :

- Troubles psychologiques ;

- Troubles du cholestérol et des triglycérides ainsi que les personnes souffrant d'artérite ou de coronaropathie (sous contrôle médical car à fortes doses) ;
- Diabète.

**Le top 5 de la vitamine B3 : datte fraîche, champignon, gingembre, abricot sec, crevette.**

## Vitamine B5

La vitamine B5 participe à la libération d'énergie lors de l'utilisation des aliments par l'organisme. Elle :

- Augmente la fertilité (50 mg/j) ;
- Favorise les processus de cicatrisation ;
- Maintient en bon état de la peau, des cheveux et des muqueuses.

La pantéthine qui dérive de la vitamine B5 diminue le cholestérol total, les triglycérides et augmente le HDL-cholestérol, « bon cholestérol « à la dose de 600 mg/j à 1200 mg/j.

Aussi la vitamine B5 est-elle indiquée dans les situations suivantes :

- Excès de cholestérol ;
- Grossesses ou allaitantes ;
- Maladies métaboliques ;
- Personnes devant se faire opérer ;
- Stress important ;
- Troubles de la peau et de la cicatrisation.

**Le top 6 de la vitamine B5 : champignon, noix de cajou et noisette, chou-fleur, noix, haricot vert.**

## Vitamine B6

La vitamine B6 agit en collaboration avec les autres vitamines du groupe B, avec le magnésium et le zinc.

Permet la transformation du tryptophane (un acide aminé base des protéines) en acide nicotinique (vitamine B3). Elle :

- Permet l'utilisation des protéines par l'organisme et la libération d'énergie lors de leur dégradation.
- Permet la synthèse des neurotransmetteurs au niveau du cerveau. Si la synthèse de ces derniers est altérée, on observe une baisse de concentration, une irritabilité, des sautes d'humeurs impulsives, de l'anxiété, des troubles du sommeil et parfois des dépressions sévères. Ainsi la vitamine B6 agit pour une meilleure adaptation au stress.
- Permet la synthèse de la taurine qui contrôle l'activité de certains globules blancs et les protègent grâce à son rôle antioxydant. Elle possède en outre un rôle anti-infectieux.
- Régule, en outre, les échanges ioniques au niveau des membranes des cellules et favorise le maintien du magnésium dans ces dernières.
- Limite l'accumulation d'homocystéine (au même titre que la vitamine B9 et/ou B12) et par-là même diminue les risques cardio-vasculaires.
- Participe à la formation des globules rouges ;
- Joue un rôle important dans la libération d'énergie à partir des sucres car les enzymes responsables de l'utilisation du glucose (sucre) contenu dans les muscles contiennent de la vitamine B6.
- Diminue la réponse aux hormones sexuelles (rôle dans les douleurs pendant les règles et peut-être dans certains cancers comme celui du sein).

Ainsi les aliments contenant de la vitamine B6 peuvent être utilisés préférentiellement pour limiter les effets des situations suivantes :

- Alcoolisme ;
- Anxiété ;
- Cancers (la vitamine B6 est parfois utilisée en association avec les autres traitements anticancéreux) ;
- Contraception orale (pilule) ;
- Diabète ;
- Grossesses ou allaitement ;
- Maladies cardio-vasculaire en diminuant l'homocystéine ;
- Sports ;
- Syndrome prémenstruel (douleurs avant les règles) diminue avec des doses d'environ 200 mg/j de vitamine B6. Il en va de même de l'acné liée au cycle ;
- Vieillissement.

**Le top 6 de la vitamine B6 : Ail, noix et noisette, banane, châtaigne, poireau.**

## Vitamine B8

La vitamine B8 agit en concertation avec les autres vitamines du groupe B et avec la vitamine C. Elle possède principalement 3 actions :

- Est utilisée dans la synthèse des acides gras (lipides) ;
- Intervient dans la production d'énergie à partir du glucose (sucre) et de certains acides aminés (viande) ;
- Favorise le bon fonctionnement de l'intestin.

Ainsi les aliments contenant de la vitamine B8 pourront être consommés dans les situations suivantes :

- Alcoolisme ;
- Grossesses ou allaitantes ;
- Hémodialyse ;
- Personnes bénéficiant d'un traitement anticomitial (contre l'épilepsie) qui provoque souvent des carences en vitamine B8.

**Le top 5 de la vitamine B8 : cassis, champignon, haricot vert, avocat, citron.**

## Vitamine B9

Cette vitamine appelée également acide folique agit sur la formation de notre patrimoine génétique, sur la formation de nos cellules sanguines et nerveuses ainsi que sur celle de l'influx nerveux au niveau du cerveau (neuromédiateurs). On a récemment montré qu'elle réduirait le risque d'hypertension artérielle en dilatant les vaisseaux sanguins.

Elle est indiquée dans les situations suivantes :

- Alcoolisme ;
- Allaitement ;
- Anémie ;
- Dépression ;
- Grossesse ;
- Les enfants et les adolescents ;
- Les personnes souffrant de troubles de concentration ou de mémoire ;
- Lors d'une contraception orale (pilule) ;
- Personnes souffrant de troubles digestifs ;
- Tabagisme ;

– Troubles de la gencive (gingivite et parodontose) ;
– Vieillissement.

**Le top 5 de la vitamine B9 : Cresson, épinard, pissenlit, persil, oseille.**

## Vitamine B12

La vitamine B12 est absente du règne végétal. Des carences en vitamine B12 peuvent se rencontrer chez les personnes végétariennes strictes ou chez les personnes âgées. Son rôle :

– Facilite la dégradation de l'homocystéine (intérêt chez les personnes souffrant de maladies coronariennes) ;
– Participe à l'élaboration de la méthionine qui est un acide aminé (protéine) qui lui-même se transforme en choline ayant un rôle prépondérant dans le bon fonctionnement du foie et dans celui du système nerveux ;
– Participe à la fabrication des neurotransmetteurs telle la sérotonine ;
– Facilite la synthèse de l'ADN support du patrimoine génétique et ainsi le renouvellement cellulaire ;
– Permet la dégradation des acides aminés (protéines) ;
– Agit en collaboration avec le calcium et un facteur intrinsèque qui est absent dans certaines maladies ce qui provoque une anémie (anémie de Biermer).

Ainsi la vitamine B12 est utile dans les cas suivants :

– Alcoolisme ;
– Femmes allaitantes ;
– Femmes souhaitant être enceintes à court terme ;
– Personnes âgées ;

– Personnes souffrant de troubles gastro-intestinaux.

On trouve la vitamine B12 dans le règne animal.

## Vitamine D

La vitamine D est apportée par la nourriture mais peut être aussi bien synthétisée par la peau à la condition que l'ensoleillement soit suffisant. Son rôle :

– Contrôle l'absorption du calcium et sa fixation sur les os ;

– Participe également au métabolisme du phosphore ;

– Indispensable au bon développement du squelette ;

– Défense contre les infections ;

– Anticancéreux (très probable).

La vitamine D agit en collaboration avec le calcium, le magnésium, le zinc, le silicium, la vitamine B6, la vitamine C et la vitamine K. Comme cette vitamine se dissout dans les graisses, il est nécessaire de la prendre au cours d'un repas contenant des graisses. Elle est préconisée dans les cas suivants :

– Grossesses ou femmes qui allaitent ;

– Enfants et adolescents ;

– Personnes âgées ;

– Personnes ayant un risque de cancer du côlon, du sein ou encore de la prostate ;

– Déminéralisation.

On la trouve notamment dans les œufs, le beurre, le foie, les poissons gras et surtout les huiles extraites du foie de certains poissons (morue).

## Vitamine K

Cette vitamine agit en collaboration avec le calcium et la vitamine D (sur ordonnance). Elle possède des propriétés antihémorragiques et elle agit sur la formation des os et sur celle des dents.

La vitamine K est indiquée dans les situations suivantes

- Femmes enceintes ;
- Personnes âgées ou sujettes à la déminéralisation osseuse.

**Le top 4 de la vitamine K : épinard, cresson, brocoli, champignon.**

# 3

# L'alimentation suffit-elle ? Les compléments alimentaires

Il existe une controverse à l'heure actuelle sur la nécessité de prendre ou non des compléments alimentaires comme des antioxydants ou des oméga-3 (ou les deux). Ceux qui s'opposent aux compléments alimentaires estiment que l'alimentation « équilibrée » apporte les nutriments indispensables à la vie et que l'alimentation est différente de l'ingestion de macronutriments (glucides, les protides, les lipides) ou de micronutriments comme le zinc, le sélénium, le chrome etc. Leur conviction s'appuie sur deux arguments.

*Primo* : l'aliment contient tout ce qu'il faut pour l'organisme et il n'est pas nécessaire de rajouter des compléments pour obtenir un bénéfique supplémentaire sur la santé.

*Secundo* : l'absorption régulière de compléments alimentaires n'est peut-être pas garantie sans danger. Ainsi, une étude finlandaise a montré une augmentation des décès par cancer du poumon chez des personnes qui prenait du Bêta-carotène. [L'instigateur de cette étude a reconnu par la suite que cette étude comportait trop de buveurs excessifs pour constituer un groupe d'étude valable scientifiquement].

Ceux qui préconisent les compléments alimentaires estiment au contraire que :

*Primo* : l'alimentation des pays industrialisés est une coquille creuse et qu'il faudrait ingérer environ 2700 kcal pour que l'organisme bénéficie de l'intégralité des macronutriments et des micronutriments. Les femmes d'aujourd'hui ne consomment par exemple que 2100 kcal en moyenne.

*Secundo* : les différents traitements infligés aux aliments (pesticides, insecticides, nitrates...) détruisent une bonne partie de leurs composants. Nous avons vu que nombre de fruits et de légumes (pomme, courgettes...) possèdent dans leur peau - ou juste en dessous - une part importante de vitamines mêlés avec des composés chimiques souvent toxiques. Quelle proportion de substances bénéfiques restet- il, une fois cette peau enlevée ?

*Tertio* : de nombreuses études (plusieurs centaines) montrent une diminution de la morbidité (risque d'être malade) et de la mortalité chez les personnes qui consomment régulièrement des compléments alimentaires.

*Quarto :* la prise de médicaments, l'excès de sport, l'incidence du stress ou de certaines maladies augmentent la consommation des micronutriments par l'organisme. Dès lors les apport – même d'une alimentation équilibrée – ne peuvent suffir.

Notre point de vue se rapproche cette dernière analyse.

Le tableau ci-dessous résume les déficits en vitamines et en minéraux dans certaines situations courantes :

| | BÊTA-CAROTÈNE | VITAMINE B1 | VITAMINE B2 | VITAMINE B3 | VITAMINE B5 | VITAMINE B6 | VITAMINE B9 | VITAMINE B12 | VITAMINE C | VITAMINE D | VITAMINE E | VITAMINE K |
|---|---|---|---|---|---|---|---|---|---|---|---|---|
| Acné | ■ | | | | | | | | | | ■ | |
| Personnes âgées | | ■ | ■ | | | | | ■ | | | ■ | ■ |
| Alcool (consommation) | | ■ | ■ | | | ■ | | ■ | ■ | ■ | ■ | |
| Allergies variées | ■ | | | | | | | | | | | |
| Allergie au soleil | ■ | | | ■ | | | | | | | | |
| Anxiété | | | | | | ■ | | | | | | |
| Baisse vision nocturne | ■ | | | | | | | | | | | |
| Bronzage | ■ | | | | | | | | | | | |
| Contraception orale | | ■ | ■ | | | ■ | ■ | | ■ | | ■ | |
| Déminéralisation osseuse | | | | | | | | | | ■ | | ■ |
| Dépression | | | | ■ | | | ■ | | | | | |
| Dialyse | | | ■ | | | | | | | | | |
| Douleurs diffuses | | ■ | | | | | | | | | | |
| Eczéma | ■ | | | | | | | | | | | |
| Fatigue chronique | | ■ | ■ | | | | | | | | | |
| Fertilité | | | | | ■ | | | | ■ | | ■ | |

| | | | | | | | | | | | | |
|---|---|---|---|---|---|---|---|---|---|---|---|---|
| Gingivite | | | | | | | ■ | | | | | |
| Grossesse | | ■ | ■ | | ■ | ■ | ■ | ■ | ■ | ■ | | ■ |
| Hypothyroïdie | | | | | | | | | | | | |
| Infections | ■ | | | | | | | | ■ | | ■ | |
| Intervention chirurgicale | | ■ | | | ■ | | | | ■ | | | |
| Maladies métaboliques | ■ | | ■ | ■ | | ■ | | | ■ | | ■ | |
| Peaux sèches | ■ | | | | | | | | | | | |
| Radiothérapie | | | ■ | | | | | | | | | |
| Régimes amaigrissants | ■ | | | | | ■ | ■ | ■ | ■ | | ■ | |
| Risque cancéreux | | | | | | | | | | ■ | | |
| Spasmophilie | | ■ | | | | | | | | | | |
| Sportifs | | ■ | ■ | | | | | | ■ | | ■ | |
| Stress | | | | | ■ | | | ■ | | | | |
| Tabac | ■ | | | | | | ■ | | ■ | | ■ | |
| Troubles mémoire | | ■ | | | | | ■ | ■ | | | | |
| Régime végétarien | | | ■ | | | | ■ | | | | | |
| Vieillissement (lutte) | ■ | | | | | | ■ | | ■ | | ■ | |

| | CALCIUM | CUIVRE | FER | FLUOR | IODE | POTASSIUM | MAGNÉSIUM | SODIUM | PHOSPHORE | SÉLÉNIUM | ZINC |
|---|---|---|---|---|---|---|---|---|---|---|---|
| Acné | | | | | | | | | | | ■ |
| Personnes âgées | ■ | | | | | | ■ | | | ■ | ■ |
| Alcool (consommation) | | | | | | | | | | | |
| Allergies variées | | | | | | | | | | | |
| Allergie au soleil | | | | | | | | | | | |
| Anxiété | | | | | | | | | | | |
| Baisse vision nocturne | | | | | | | | | | | |
| Bronzage | | | | | | | | | | | |
| Contraception orale | | | | | | | | | ■ | | |
| Déminéralisation osseuse | ■ | | | ■ | | | | | | | |
| Dépression | | | | | | | ■ | | | | |
| Dialyse | | | | | | | | | | | |
| Douleurs diffuses | | ■ | | | | | | | | | |
| Eczéma | | | | | | | | | | | |
| Fatigue chronique | | | | | | | | | | | |

| | | | | | | | | | | | |
|---|---|---|---|---|---|---|---|---|---|---|---|
| Fertilité | | | | | | | | | | | ■ |
| Gingivite | | | | | | | | | | | |
| Grossesse | | | ■ | | | | ■ | | | | |
| Hypothyroïdie | | | | | ■ | | | | | | |
| Infections | | ■ | | | | | | | | | sauf virales |
| Intervention chirurgicale | | | | | | | | | | ■ | |
| Maladies métaboliques | | | | | | | | | | | ■ |
| Peaux sèches | | | | | | | | | | | |
| Radiothérapie | | | | | | | | | | | |
| Régimes amaigrissants | ■ | | | | | | ■ | | | | |
| Risque cancéreux | ■ | | | | | | | | | ■ | |
| Spasmophilie | | | | | | | ■ | | ■ | | |
| Sportifs | | | | | | | ■ | | | ■ | ■ |
| Stress | | | | | | | | | | | |
| Tabac | | | | | | | ■ | | | ■ | ■ |
| Troubles mémoire | | | | | | | ■ | | | ■ | |
| Régime végétarien | | | | | | | | | | | |
| Vieillissement (lutte) | | | | | | | | | | ■ | ■ |

4

# Aliments et compléments alimentaires

## à consommer dans les pathologies les plus courantes

## ALCOOLISME

- Abricot, banane, courgette, courge, potiron, pissenlit, melon, pastèque, pour les vitamines du groupe B ;
- Asperges pour l'asparagine ;
- Betterave, brocoli, chou, blette, épinard, pourpier, mâche, en raison de la vitamine B9 ;
- Clémentine, kiwi, goyave, citron, orange, pamplemousse pour la vitamine B9, B6 et C ;
- Crabe, crevette, pour la vitamine B12 ;
- Riz, pomme de terre, haricot, lentille, soja, pois chiche, petit pois pour la vitamine B1 ;
- Tomate pour la vitamine E.

## ALLAITEMENT

- Abricot, banane pour les minéraux et la vitamine B6 ;
- Cassis, framboise, prune, fraise, cerise, mangue, pêche, papaye, kaki, groseille, clémentine, kiwi, goyave, citron, orange, pamplemousse, mûre, raisin, myrtille, lentille, soja, pois chiche, petit pois, tomate pour les vitamines C, B6, B9 et le calcium ;

- Chou, brocoli, courgette, courge, potiron, pissenlit, melon, pastèque, en raison de la vitamine B9 ;
- Crabe, crevette, pour les vitamines C, B6, B9 et le fer ;
- Épinard pour la vitamine C, le calcium, le phosphore, le magnésium.

## ALLERGIES

- Avocat, colza, soja, crabe, crevette, pour les acides gras oméga-3 qu'ils renferment.

## ANÉMIES

- Ail, brocoli, chou, choucroute, navet, pour la vitamine B9 ;
- Betterave, courgette, courge, potiron, pissenlit, melon, pastèque, poireau pour le fer et la vitamine B9 ;
- Clémentine, figue, pour le fer et la vitamine C ;
- Crabe, crevette, pour le fer, les vitamines B6, B9, B12, C ;
- Fraise, cerise, mangue, pêche, papaye, kaki, groseille, kiwi, goyave, lentille, pois chiches, petit pois, pour la vitamine B9 et le fer ;
- Haricot vert, persil, haricot blanc, lentille, soja, pois chiche, fenouil, blette, épinard, pourpier, mâche, pour le fer et la vitamine B9 ;
- Oignon pour sa vitamine B9 et son cobalt.

## ANOREXIE

- Chou en raison de la vitamine B9 ;
- Colza, soja, pour les acides gras oméga–3 qu'ils renferment (rôle

énergétique et action sur les performances intellectuelles ;

- Cucurma pour les cucurminoïdes ;
- Pissenlit pour sa richesse en polyphénols.

## ARTHROSE

- Ananas pour la broméline qui diminue l'inflammation ;
- Champignon (cuivre, bore, sélénium, zinc) ;
- Cucurma pour les cucurminoïdes
- Pomme de terre (cuivre) ;
- Radis, ail, l'oignon, le poireau, le cresson, le riz, la pomme de terre, la datte, le chou, le concombre, cornichon en raison du soufre qu'ils renferment.

## ATHÉROSCLÉROSE

*Voir maladies cardio-vasculaires.*

## CANCER

En prévention de la maladie cancéreuse :

- Abricot pour les fibres, le Bêta-carotène, la vitamine C ;
- Ail, échalote pour l'allicine et les flavonoïdes ;
- Avocat, colza, soja, noix pour leurs acides gras oméga-3 qu'ils renferment (action en particulier sur le cancer du sein) ;
- Brocoli, en raison de l'action antioxydante et de l'action sur les enzymes de phase 2 ; action sur le sein et la prostate en raison des phytonutriments indoles ;

- Carotte pour les fibres, le Bêta-carotène, la vitamine C, les enzymes de phase 2) ;
- Cassis, framboise, fraise, cerise, mangue, pêche, papaye, kaki, groseille, prune, mûre, raisin, myrtilles pour les flavonoïdes les antioxydants et le calcium (côlon) ;
- Céleri pour ses enzymes de phase 2, son apigénine (cancer du sein) et son bore (prostate) ;
- Champignon en prévention grâce à la vitamine D et au bore (pour la prostate) ;
- Chocolat pour la catéchine et les flavonoïdes en général ;
- Choucroute pour les quantités de sulforaphane qu'elle renferme ;
- Clémentine, citron, orange, pamplemousses (cancers digestifs) pour ses flavonoïdes et ses terpènes (surtout contenus dans son écorce).
- Coing pour ses fibres et ses tanins (cancer du côlon) ;
- Courgette, courge, potiron, pissenlit, melon, pastèque, pour les cucurbitacines ;
- Crabe, crevette, pour la vitamine C, le sélénium, le zinc, les oméga-3 ;
- Cucurma pour les cucurminoïdes ;
- Figue pour les vitamines, le calcium et les anthocyanes ;
- Fraise, cerise, mangue, papaye, kaki, groseille, pour le calcium (côlon) ;
- Gingembre pour les enzymes de phase 2, les terpènes et les dérivés phénoliques ;
- Haricot vert, persil, haricot blanc, lentille, soja, pois chiche, pour l'inositol et les antioxydants ;
- Kiwi, goyave pour les personnes en traitement du fait de la vitamine E ;
- Laitue, blette, épinard, pourpier, mâche pour les éléments suivants : vitamine C, Bêta-carotène, zinc, sélénium, flavonoïdes, oméga-3, enzymes de phase 2 ;

- Oignon, poireau pour les enzymes de phase 2 ;
- Olive pour les oméga-6 ;
- Oseille pour ses caroténoïdes et les flavonoïdes ;
- Poire (la pelure contient de nombreux flavonoïdes) ;
- Pomme pour la quercétine (cancer du poumon) ;
- Riz pour les polyphénols ;
- Thé pour la catéchine, les antioxydants, la quercétine ;
- Thym pour ses phénols et ses saponosides ;
- Tomate pour le lycopène actif sur la prostate.

## CARIES DENTAIRES

- Oignon, thé, fruits de mer (huître, moule, coque…), œuf, légumineuses (lentilles, pois et pois chiche), abricot sec pour leur fluor.

## CELLULITE

- Fruits et légumes verts pour lutter contre la rétention d'eau ;
- Thym pour ses saponosides.

## CHOLESTÉROL

- Ail, échalote, oignon pour l'allicine ;
- Aubergine, courgette, courge, potiron, melon, pastèque pour ses fibres solubles (protopectine qui en mûrissant donnent des pectines) ;
- Champignon pour les vitamine B3, B2, B5 et les stérols végétaux ;

- Coing pour ses fibres solubles et ses tanins ;
- Haricot vert, persil, haricot blanc, lentilles, soja, pois chiche, fenouil pour les vitamine C B3, B5, et E, le Bêta-carotène, le zinc, le sélénium, les saponines, l'inositol ;
- Noisette, olive, amande pour ses oméga-9 et sa pectine ;
- Noix pour ses oméga-3 et sa pectine (fibres solubles) ;
- Pamplemousse pour ses fibres solubles et sa vitamine B5 ;
- Riz pour la vitamine B3, les fibres, les béta-sitostérols et gamma-oryzanol, les tocotriénols.

## CHUTE DE CHEVEUX

- Brocolis et chou-fleur du fait de leur teneur en vitamine B5 ;
- Navet et radis pour le soufre qu'ils renferment ;
- Poireau pour le soufre et la vitamine B5.

## CONSTIPATION

- Abricot, ananas, asperge, aubergine, banane, pour leurs fibres ;
- Artichaut, endive, fève, céleri, courge, potiron, pissenlit, poire pour leurs fibres insolubles ;
- Crucifères, betterave rouge, champignon, haricot vert, persil,, haricot blanc, lentilles, soja, pois chiche, fève, fenouil, blette, épinard, pourpier, mâche, en raison des fibres qu'ils contiennent ;
- Oignons, courgettes pour leurs fibres qui forment un mucilage en cuisant ;
- Poireau, carotte, oseille pour leurs fibres et ses prébiotiques ;
- Prune pour le sorbitol.

## CONTRACEPTION ORALE

- Abricot, banane, carotte, oseille, clémentine, kiwi, goyave, fraise, cerise, mangue, pêche, papaye, kaki, groseille, citron, orange, pamplemousse, figue, mûre, raisin, myrtille, lentilles, soja, pois chiche, tomate pour leur richesse en minéraux et en vitamines ;
- Crucifères, betterave, courgette, courge, potiron, pissenlit, melon, pastèque, blette, épinard, pourpier, mâche, en raison de la vitamine B9.

## DÉGÉNÉRESCENCE MACULAIRE LIÉE À L'ÂGE (DMLA)

- Crucifères et notamment chou frisé, navet, chou vert en raison de la lutéine qu'ils renferment.

## DÉMINÉRALISATION OSSEUSE

*La déminéralisation osseuse aboutit souvent à l'ostéoporose.*

- Artichaut, endive, fève pour le potassium et les minéraux qu'ils renferment ;
- Brocoli, choux en raison de la présence de vitamine K ;
- Champignons pour le bon rapport entre potassium et sodium, le bore, le phosphore, le calcium, les vitamine K et D ;
- Légumes notamment à feuilles, fruits (agrumes, abricot, ananas, clémentine, kiwi, goyave, poire, pomme, fraise, cerise, mangue, pêche, papaye, kaki, groseille, cassis, framboise), racines (betterave, carotte, oseille, céleri), tubercules (pomme de terre) ail, échalote oignon, poireau, asperge, aubergine, concombre,

cornichon, courgette, courge, potiron, pissenlit, melon, pastèque, haricot vert, persil, haricot blanc, lentilles, soja, pois chiche, fève, fenouil, laitue, blette, épinard, pourpier, mâche pour leur richesse en citrate et en bicarbonate de potassium qui leur confèrent un pouvoir alcalinisant ;

- Thé pour le calcium et le potassium.

## DIABÈTE

*Voir aussi maladies métaboliques.*

- Aubergines grâce à ses fibres soluble (protopectine) ;
- Crucifères en raison de la présence de vitamine B9, de calcium ;
- Oignon, ail, échalote, du fait de leurs composés soufrés qui diminuent la glycémie ;
- Thé (polyphénols).

## ECZÉMA

- Brocoli pour la vitamine B5 ;
- Colza, soja, en raison de leurs oméga-3 ;
- Navet, radis, poireau, ail en raison du soufre qu'ils renferment ;
- Voir aussi maladies de peau.

## FATIGUE

- Asperges pour l'asparagine la vitamine C et le fer ;
- Fruits pour le potassium et la vitamine C ;

- Laurier pour le fer, la vitamine C, la chlorophylle ;
- Poireau pour sa vitamine C et le fer.

## GINGIVITE

- Abricot, banane (vitamine C, magnésium, potassium) ;
- Betterave, chou, courgette, courge, potiron, pissenlit, melon, pastèque, pour la vitamine B9.

## GROSSESSE

- Abricot, banane, figue pour les minéraux et la vitamine B6 ;
- Carotte, oseille, tomate pour le Bêta-carotène ;
- Cassis, framboise, prune, fraise, cerise, mangue, papaye, kaki, groseille, kiwi, goyave, citron, orange, pamplemousse, lentilles, soja, pois chiches, petit pois, pour la vitamine C et B9, le calcium et le magnésium ;
- Champignon pour les vitamine D et K et le calcium ;
- Choux, en raison de la vitamine B9, vitamine K, calcium ;
- Courgette, courge, potiron, pissenlit, melon, pastèque, poireau pour le fer et la vitamine B9 ;
- Crabe, crevette, pour le fer, les vitamines B12 et B9 et pour les oméga-3 ;
- Épinards pour le fer, la vitamine B9, le magnésium.

## INFECTIONS

- Ail, échalote pour leur allicine et la vitamine C ;
- Ananas pour la broméline, la vitamine C, le cuivre et le soufre ;

- Cassis, framboise, prune, figue, mûre, raisin, myrtille, lentilles, soja, pois chiche, pour la vitamine C et les flavonoïdes ;
- Clémentine, citron, orange, pamplemousse, pomme de terre, tomate, pour la vitamine C, B6 et le magnésium ;
- Coing, thé pour leurs tanins ;
- Crabe, crevette, pour la vitamine C, le sélénium et le magnésium ;
- Crucifères en général du fait de la richesse en antioxydants et en minéraux ;
- Épinard, pour la vitamine C et les terpènes ;
- Fraise, cerise, mangue, pêche, papaye, kaki, groseille, kiwi, goyave pour la vitamine C, E, B6 et le magnésium ;
- Laurier pour la chlorophylle et la vitamine C ;
- Navets et radis en raison du soufre qu'ils renferment (infections ORL et broncho-pulmonaires) ;
- Oignon, poireau, et haricot vert à un moindre degré pour leur soufre ;
- Olive pour les oméga-6 ;
- Riz pour le magnésium et le sélénium ;
- Thym pour ses phénols, saponides, terpènes.

## JAMBES LOURDES

Les jambes lourdes sont souvent le signe d'une insuffisance veineuse. Dans ce cas les aliments suivants sont recommandés :

- Asperges pour la rutine ;
- Citron, orange, pamplemousse pour les anthocyanes.

## MALADIES AUTO-IMMUNES

*Les maladies auto–immunes sont caractérisées par la production d'anticorps contre certains organes (thyroïde, articulations, etc.).*

- Avocat, colza, soja, crabe, crevette, mâche, pourpier, pour les acides gras oméga-3 qu'ils renferment ;
- Laitue pour les oméga-3 et le cuivre.

## MALADIES CARDIO-VASCULAIRES

*Hypertension artérielle, angine de poitrine, infarctus du myocarde.*

- Abricot, ananas, carotte, oseille pour le Bêta-carotène, la vitamine C, le potassium et le magnésium ;
- Ail, échalote, oignon pour leur allicine et leurs antioxydants ;
- Avocat, colza, soja, pour leurs oméga-3 qui fluidifient le sang et dilatent les vaisseaux ;
- Banane pour le potassium et le magnésium ;
- Cassis, framboise, prune, fraise, cerise, mangue, pêche, papaye, kaki, groseille, kiwi, goyave, poire, pomme pour les vitamines C, E, B6, B9, le béta–carotène, le zinc, les flavonoïdes et les acides phénoliques ;
- Champignon pour le potassium, le sélénium, le manganèse ;
- Chocolat, pour leurs flavonoïdes, le resvératrol et le magnésium ;
- Clémentine, citron, orange, pamplemousse pour la vitamine C, le Bêta-carotène, le zinc, le sélénium, les flavonoïdes, les monoterpènes de l'écorce ;
- Crabe, crevette pour le sélénium, le zinc, le manganèse, les oméga-3, les vitamine C, E, B3 ;
- Crucifères en raison de l'action antioxydante et de la teneur en calcium ;

- Cucurma pour les cucurminoïdes ;
- Figue pours ses flavonoïdes et le magnésium ;
- Gingembre pour les dérivés phénoliques antioxydants ;
- Laitue, blette, épinard, pourpier, mâche, pour la vitamine C, le Bêta-carotène, le zinc, le sélénium, les flavonoïdes, les oméga-3 ;
- Laurier pour les caroténoïdes ;
- Mûre, raisin, myrtille, lentilles, soja, pois chiches, petit pois, pour la vitamine C, E, le Bêta-carotène, les flavonoïdes, le zinc aux propriétés antioxydantes ;
- Noisette, olive, amande, olive pour leurs oméga-9 et leurs antioxydants ;
- Noix pour ses acides gras oméga-3 et ses composés antioxydants ;
- Poireau, asperge, aubergine, concombre, courgette, courge, potiron, pissenlit, melon, pastèque pour leurs composants antioxydants et leurs minéraux ;
- Riz pour le magnésium, le manganèse, le potassium, le sélénium, le zinc, le béta-sitostérols, le gamma–oryzanol, les tocotriénols) ;
- Thé (vitamine C, Bêta-carotène, flavonoïdes, catéchine, zinc) ;
- Thym pour ses phénols, flavonoïdes ;
- Tomate pour ses vitamines C, E, le zinc, le manganèse, le cuivre, le potassium, le Bêta-carotène et le lycopène.

## MALADIES MÉTABOLIQUES

*Les maladies métaboliques regroupent plusieurs maladies qui ont des points communs entre elles. On désigne sous ce vocable : diabète, excès de cholestérol, excès de triglycérides, d'acide urique, obésité...*

- Ail, échalote pour l'allicine aux effets bénéfiques sur le cholestérol et les triglycérides ;

- Aubergine, carotte, oseille, concombre, cornichon, courgette, courge, potiron, pissenlit, melon, pastèque, poireau, pomme de terre pour leurs fibres solubles qui piègent le cholestérol et pour leur faible valeur calorique ;
- Avocat, colza, soja, pour les acides gras oméga-3 qu'ils renferment ;
- Cassis, framboise, prune, fraise, cerise, mangue, pêche, papaye, groseille, clémentine, kiwi, goyave, citron, orange, pamplemousse, pomme pour les vitamines C, E, B3, B5, le Bêta-carotène, le sélénium, les flavonoïdes, les fibres solubles ;
- Champignon pour les vitamines B3, B2, B5 et les stérols végétaux ;
- Choux, pour sa vitamine B9 ;
- Crabe, crevette pour les oméga-3, les vitamine C, E, B3 ;
- Crucifères, fenouil en général pour leur richesse en antioxydants et de leur faible valeur calorique ;
- Cucurma pour les cucurminoïdes ;
- Figue pour ses anthocyanes qui combattent le cholestérol et les triglycérides ;
- Haricot vert pour les vitamines C, E, B3, B5, le Bêta-carotène, le zinc, le sélénium, les polyphénols ;
- Laitue, blette, épinard, pourpier, mâche, pour la vitamine C, le Bêta-carotène, le zinc, le sélénium, les flavonoïdes, les oméga-3, la vitamine B3 ;
- Mûre, raisin, myrtille, lentille, soja, pois chiche, petit pois pour la vitamine C, E, B3, le Bêta-carotène, les flavonoïdes, le zinc ;
- Noix pour les acides gras oméga-3 qu'il renferme et pour sa pectine ;
- Oignon par ses composés soufrés permet de diminuer le taux de glucose sanguin (glycémie) ;
- Poire, figue pour la vitamine C, le Bêta-carotène, le zinc, les vitamines B3, B5 ;

- Riz pour la vitamine B3, les fibres, les bêta-sitostérols, le gamma-oryzanol, les tocotriénols ;
- Thé, gingembre pour la catéchine et les polyphénols ;
- Tomate pour les vitamines C, E pour le manganèse, le cuivre, le potassium, le Bêta-carotène et le lycopène.

## MALADIES DE PEAU

- Mangue, melon, abricot, kaki, papaye, pêche jaune, cerise, clémentine, pastèque, pissenlit, carotte, persil, épinard, fenouil, oseille, chou vert, cresson, potiron, tomate pour leurs caroténoïdes.

## MÉNOPAUSE

- Céleri, persil et l'épinard pour l'apigénine ;
- Crucifères en raison de leur richesse en calcium ;
- Œuf, pomme de terre, persil, épinard, tomate pour le chrome qu'ils renferment ;
- Soja pour ses isoflavones.

## PSORIASIS

*(Voir aussi maladies de peau.)*

- Brocoli pour la vitamine B5 ;
- Colza, soja, en raison de leurs oméga-3 ;
- Navet, radis, poireau, ail en raison du soufre qu'ils renferment.

## RÉTENTION D'EAU

*La rétention d'eau provoque souvent des œdèmes dans les jambes.*

- Artichaut, échalote, oignons et poireaux pour le fructosane qu'ils renferment mais aussi pour son rapport entre potassium et sodium qui est favorable à l'élimination ;
- Asperges pour l'asparagine et ses minéraux ;
- Ananas, endive (rapport entre potassium et sodium) ;
- Aubergine, blettes, concombre, courgette, courge, potiron, pissenlit, melon, pastèque, haricot vert, persil, épinard, pourpier, haricot blanc, lentilles, soja, pois chiche, fenouil, prune, raisin pour le rapport favorable entre potassium et sodium ;
- Eaux minérales sulfatées calciques ;
- Thym (saponosides).

## RHUMATISMES

- Avocat, colza, soja, crabe, crevette, noix pour les acides gras oméga-3 qu'ils renferment ;
- Brocolis, blette, épinard, pourpier, cresson, mâche, en raison des antioxydants, du cuivre et du soufre ;
- Cassis, framboise, prune, fraise, cerise, mangue, pêche, papaye, groseille, pour les flavonoïdes et le cuivre ;
- Céleri pour le bore et le cuivre ;
- Courgette, courge, potiron, pissenlit, cornichon, melon, pastèque pour leurs curcurbitacines ;
- Cucurma pour les cucurminoïdes ;
- Navets et radis pour leur soufre ;
- Olive pour les oméga-6 ;

- Pommes de terre pour le cuivre et le manganèse ;
- Thé pour le cuivre et les antioxydants ;
- Thym pour ses saponosides ;
- Tomate pour la vitamine E et le cuivre.

## SPASMOPHILIE

- Asperges pour le magnésium, le calcium et le phosphore ;
- Amande, noisette, Noix, riz pour leur vitamine B6 et leur magnésium ;
- Crabe, crevette, pour le magnésium, le calcium et le phosphore ;
- Fruits, chocolat pour le calcium et le magnésium ;
- Gingembre pour le magnésium et la vitamine B3.

## SPORTIFS

- Abricot, banane, betterave, pomme de terre, figue pour les glucides et les minéraux ;
- Cassis, framboise, prune, fraise, cerise, mangue, pêche, papaye, kaki, groseille, clémentine, Kiwi, goyave, citron, orange, pamplemousse, mûre, raisin, myrtille, lentille, soja, pois chiche, petit pois, tomate pour les vitamines C, E, B6 et le magnésium ;
- Poire pour les glucides, les antioxydants et l'eau.

## TABAGISME

- Abricot, carotte, oseille pour le Bêta-carotène ;
- Betterave, choux, courgette, courge, potiron, pissenlit, melon, pastèque, crucifères, blette, épinard, pourpier, mâche pour la vitamine B9 ;

- Clémentine, Fraise, cerise, mangue, pêche, papaye, kaki, groseille, kiwi, goyave, citron, orange, pamplemousse, mûre, raisin, myrtille, lentilles, soja, pois chiche, petit pois, pour les vitamine C, B, E, le Bêta-carotène et le zinc) ;
- Figue pour la vitamine C et les anthocyanes.

## TROUBLES DIGESTIFS

- Ananas pour la broméline et les fibres ;
- Artichaut, endive pour ses fibres et la cyanarine ;
- Brocolis, choux, courgette, courge, potiron, pissenlit, melon, pastèque pour la vitamine B9 ;
- Champignons, poireau, clémentine, échalote, haricot vert, persil, haricot blanc, lentilles, soja, pois chiche, fève, fenouil, laitue, oignon, pomme de terre pour leurs fibres et leurs effets prébiotiques ;
- Crabe, crevette pour la vitamine B12 ;
- Cucurma pour les cucurminoïdes ;
- Eaux minérales bicarbonatées et sulfatées calciques ;
- Figue pour les anthocyanes et les pectines contre la diarrhée ;
- Kiwi pour l'actinidine et les fibres.

## TROUBLES DE LA FERTILITÉ

- Fruits de mer, poisson, noix, noisette, noix de cajou), pissenlit, ail pour le zinc ;
- Noisette fraîche, noix fraîche, kiwi, myrtille, avocat, cassis, citron, mûre, abricot, fenouil, petit pois, salsifi, épinard, persil, chou vert, oseille, poivron, cresson, brocoli pour la vitamine E.

## TROUBLES DE L'HUMEUR

*Angoisse, stress, dépression.*

- Abricot, banane pour le magnésium et la vitamine B6 ;
- Asperges pour l'asparagine, les vitamines B3, B6 et B9 et le magnésium ;
- Avocat, colza, soja, pour les oméga-3 qu'ils renferment ;
- Betterave, choux, courgette, courge, potiron, pissenlit, melon, pastèque, blette, épinard, pourpier, mâche pour la vitamine B9 ;
- Chocolat pour la phényléthylamine ;
- Clémentine, kiwi, goyave, citron, orange, pamplemousse pour les vitamines B6, B9 et le magnésium ;
- Riz pour le magnésium et les vitamine B1, B3, B9.

## TROUBLES DE LA MÉMOIRE

- Asperges pour l'asparagine et la vitamine B9 ;
- Avocat, colza, soja, laitue pour les acides gras oméga-3 qu'ils renferment (augmentent la fluidité membranaire et les capacités de mémorisation) ;
- Betterave, choux, courgette, courge, potiron, pissenlit, melon, pastèque pour la vitamine B9 ;
- Légumineuses (lentilles, soja, pois chiche, petit pois, haricots) pour la vitamine B1.

## TROUBLES VEINEUX

- Fraise, cerise, mangue, mûre, raisin, myrtille pour les coumarines ;
- Fruits noirs, groseille, framboise, prune, figue, lentilles, pois chiche, petit pois pour les anthocyanes.

## VIELLISEMENT (PRÉVENTION)

- Abricot pour le Bêta-carotène, la vitamine C et les minéraux ;
- Avocat, colza, soja, crabe, crevette, pour les acides gras oméga-3 qu'ils renferment (augmentent la fluidité membranaire et les capacités de mémorisation) ;
- Banane pour la vitamine B6, le magnésium et le potassium ;
- Brocolis, choux, ail en raison des antioxydants ;
- Cassis, framboise, prune, fraise, cerise, mangue, pêche, papaye, kaki, groseille, clémentine, kiwi, goyave, citron, orange, pamplemousse, mûre, myrtille, lentilles, soja, pois chiche, petit pois, figue pour les vitamines C, B6, B9, le zinc et les flavonoïdes ;
- Champignon pour les vitamine B2, B3, B5, D, le sélénium, le bore et le manganèse ;
- Courgette, courge, potiron, pissenlit, pour les cucurbitacines, les antioxydants, le potassium et le magnésium) ;
- Épinard pour les vitamines B9, C, K et le fer ;
- Laitue pour les oméga-3 et les antioxydants ;
- Pommes de terre pour les glucides, les vitamines B1, B6, C, le calcium et le magnésium) ;
- Tomate pour les vitamines C, E, le zinc, le manganèse, le cuivre, le potassium, le Bêta-carotène et le lycopène.

## VUE (TROUBLES DE LA)

- Abricot, carotte, oseille, champignon, laitue pour le Bêta-carotène, la lutéine et la vitamine C ;
- Cassis, clémentine, citron, orange, pamplemousse pour la vitamine C et les caroténoïdes ;

- Chou frisé, blette, épinard, pourpier, mâche, brocoli, petit pois, cresson, persil, poivron, maïs et le poivron jaune en raison de la lutéine qu'ils renferment ;
- Clémentine pour les xanthophylles et la vitamine C ;
- Colza, soja, pour les acides gras oméga-3 qu'ils renferment ;
- Fraise, cerise, mangue, pêche, papaye, groseille, kiwi, goyave, figue, mûre, raisin, myrtille, lentilles, soja, pois chiche pour la vitamine C ;
- Kaki, tomate pour le Bêta-carotène et le lycopène ;
- Poivron pour les caroténoïdes.

# Index

**B**

**G**



**H**

**I**



**J**



**K**



**L**



**M**

**Q**

# Tables des matières

1
LES ALIMENTS « SANTÉ »
9

## 2
## MODE D'ACTION DES ALIMENTS
## 177

Pour l'éditeur, le principe est d'utiliser des papiers composé de fibres naturelles renouvelables, recyclables et fabriquées à partir de bois issus de forêts qui adoptent un système d'amenagement durable. En outre, l'éditeur attend de ses fournisseurss de papier qu'il s'inscrivent dans une démarche de certification environnementale reconnue.

Imprimé en Allemagne par GGP Media GmbH, Poessneck
ISBN : 978-2-501-06800-0
4062352
dépôt légal : mars 2011